WAKE UP! in クアラルンプール

Kuala Lumpur

吉田ちか
Chika Yoshida

はじめに

2019年の春、私たちはメルボルンでプチ移住生活を送っていました。有名な日本人バリスタのToshiさんがヘッドロースターとして活躍されているMarket Lane Coffeeに遊びに行ったある日、外のテーブルでコーヒーを味わっていたちか友ご夫婦が声を掛けてくださいました。

「次の移住先は決まっていますか?」。その当時は、実はニューヨークを考えていたのです。何度か旅行では行ったことがあったものの、じっくり滞在したことがなかったので、みんなが憧れる The Big Apple (ニューヨーク市の愛称)にはどんな魅力があるのかをもっと深く知りたいと思っていました。友人が何人か住んでいて意外と子育てがしやすいという話も聞いていたので、それも大きなきっかけでした。

そんなことを話している中、ご夫婦は「マレーシアもすごくおすすめですよ!」と教えてくれました。日本人の移住者も多くてとても住みやすいとのこと。正直、その時は、「アジア」というぐらいで全くイメージがありませんでした。

オーストラリアから日本に帰国後、第一候補のニューヨークでの滞在先や保育園などを探し始めました。予定としては、10月に出発してハロウィーン、サンクスギビング、クリスマス、そして最後にカウントダウンを体験したいと思っていたのですが、日本での仕事の予定が立て込み、出発が思ったより遅くなりそうでした。1月、2月になると寒いし、イベントごともだいぶ減ってしまう。ニューヨークはまた次回にして、今回はアジアとかどう??

おさるさん(夫)がちょうどセブ島に留学していたのもあり、アジアが視野に入ってきました。夫が英語を喋ることに慣れるという意味でもいきなりニューヨークより、アジア圏の方が現実的な気がしたのも大きな要因でした。

そんな時に、Market Lane Coffeeで出会ったご夫婦の話を思い出したのです。

「マレーシアにしよう！」

クアラルンプールのAirbnbのリスティングを検索してみると、素敵なコンドミニアムが沢山あり、ホテルのレジデンスが検索結果に上がってくることもよくありました。想像以上のシティーライフ。でも、物価は、日本の3分の1ぐらい！

保育園も英語のスクールの選択肢が沢山あり、ウェブサイトもしっかりと作り込まれているものが多く、情報収集が非常にしやすかったのが最初の衝撃でした。スクール面でも安心できそうと思い、これらのポイントを基準にクアラルンプールにプチ移住することを決定しました。

そして、着いた日から衝撃の連続が続く３ヶ月間。イメージがなかったからこそ、全てが新鮮に感じられたのかもしれませんが、クアラルンプールには「暮らし」「食」「遊び」「子育て」あらゆる面で想像以上のものがありました。

近隣のシンガポールやバリ島、バンコクなどに比べて知名度は低いですが、実は、ロングステイ希望国・地域調査で13年連続「住みたい国」1位を誇るマレーシア。物価、治安、言語（英語が通じる）、交通機関の発達、日本人に合う食文化などが理由としてあげられています。出発当時は、そんなことも知りませんでしたが、帰国する頃には納得！

多民族国家、イスラム国家、若い人が多い人口構造、このような背景に基づき日本とは全く違う価値観や考え方を持った国なのですが、なぜか日本人にとってこんなにも住みやすい……本書では、そんなクアラルンプールの魅力を自らの生活体験から色々と記録しています。

前回のプチ移住から世界の状況は色々と変化しています。今すぐ旅ができる状態ではないかもしれませんが、今まで以上に将来の生き方を考える大事な時期だと個人的には感じています。そんな今だからこそ、皆さんに知っていただきたいクアラルンプールライフ。ご自身の生き方に刺激を与えるとともに、暮らしの選択肢を広げる一冊になることを願っています。

WAKE UP! in クアラルンプール

Kuala Lumpur

TABLE OF CONTETS
目次

WEEK 1 Starting our new life in Kuala Lumpur!

着いた日から大忙し！ 私たちのクアラルンプール生活がスタート！

DAY 1

We're in Kuala Lumpur!

早朝にクアラルンプールに到着したため、プリンの保育園を早速見学！
午後は、新しいour homeにチェックイン！

2

Pudding's First Day of School!

プリンが保育園に初登校！
午後は、家の近くを散策！ 近くのモールにAEONを見っけ！

3

A glimpse of KL's nightlife in Bukit Bintang!

クアラルンプールに住む友人と夕食。
マレーシア随一の繁華街と言われるブキッビンタンに！

4

Grocery shopping at Ben's Independent Grocer

様々なライフスタイルが存在するクアラルンプール。
世界中からの輸入品がずらりと並ぶおしゃれスーパーに感動！

5

Jalan Jalan at the Mid Valley MegaMall

ちか友おすすめのミッドバレーメガモールに！ 星乃珈琲店、吉野家、
はなまるうどん、MUJIやユニクロなど、日本ブランドが多くてびっくり！

6

Visiting the Twin Towers!

クアラルンプールの象徴的存在「ツインタワー」を見にKLCCへ。
ベビーフレンドリーなモールでプリンのベビーチェアをゲット！

ARRIVING IN KUALA LUMPUR

クアラルンプールに到着!

クアラルンプールには、朝の6時のフライトで到着。外はまだ真っ暗で何も見えない状態で着陸したので、晴れ晴れとした着陸映像が撮れず、おさるさんがちょっと残念がっていました。

「ポーン」という音と共にシートベルトのランプが消えて、私たちのクアラルンプールライフが正式に始まりました。自分のリュックを背負って一人で飛行機を降りるプリンの姿を見て、メルボルンの時とは全然違う…大きくなったな〜この3ヶ月もあっという間に過ぎていくことでしょう。

クアラルンプール国際空港はとても綺麗で大都市にあるショッピングモールのようでした。飛行機を降りた瞬間に感じたもわっと温かい空気以外、東南アジア感はあまりなく「着きました!」とインスタグラムに写真を投稿しようと思ったのですが、羽田空港で撮った「行ってきます!」の写真とさほど変わらなかったので止めましたw でも、今思うと実はそのギャップのなさが一つ目の大発見だったんですよね。

まず驚いたのは、空港のデジタルサイネージの多さ。到着ロビーに出ると、目の前には巨大スクリーンがいくつもあり、ずっと広告が流れています。マレーシアには、マレー系、中国系、インド系の人々がいて、マレー語、中国語、タミル語、そして英語が混ざり合っています。テレビやラジオもコミュニティ毎にコンテンツが存在し、全国民が一体となって視聴するメディアがありません。そのため、属するコミュニティを問わず、誰もが目にするデジタルサイネージや屋外広告が人気なんだとか。マレーシアの多民族・多宗教・多言語の特徴は、これからも繰り返し出てくるテーマになります。

到着ロビーに出ると、巨大スクリーンがずらり!

空港から都心までは車で1時間ほど。Grabというアジアの Uber（配車アプリ）のようなサービスで車を呼んで市内に移動することに。ドライブ中はどの方向を見ても新たな開発が行われていました。マレーシアは、リング・オブ・ファイヤ（環太平洋火山帯）と台風多発地帯の外側に位置するため、地震や火山噴火、台風といった自然災害に襲われることが少ないのだとか。そのような理由があってなのか、個性的な建物が多く、市内でも奇抜なデザインのコンドミニアムをよく目にしました。

運転手さんが聞いているラジオ番組が耳に入ってくるのですが、完全に英語でした。英語なんだ〜と思いながら流れていく広告を見て初めて気づきました。マレー語ってアルファベットで書くのか！これまで考えたこともなかったのですが、勝手にタイ語やヒンディー語のような異国感満載な字を想像していました。アルファベットを使う言語は沢山あるので驚くことはないのかもしれませんが、マレーシアに着いて初めての「へー」だったかも！ 市内に入る直前にインターナショナル・スクール・フェアの広告が通り抜けた橋の壁に大きく貼られていました。クアラルンプールのグローバルな側面が早速見えてきました。

深い緑のヤシの木にカラフルなヘルメットとジャケットを着てバイクで走るカップル。空港を出てやっと、南国を感じる風景。

高速は思った以上に整っていて、車も綺麗なものが多い。先に見える数々のクレーンや開発途中の建物からクアラルンプールの活気が伝わってくる。

シンガポールのマリーナベイ・サンズを連想させるような、斬新な建物。

私たちが滞在するコンドミニアムは、高層ビルが集中的に建つKLCCという中心街から少し離れたChow Kitというエリア。

ガードハウスと呼ばれるセキュリティの受付。クアラルンプールのコンドミニアムには基本ガードハウスが付いています。

コンドミニアムの前に着くと、事前の確認メールで説明されていた通り、ベルデスクやフロントはなく、セキュリティ用の小さな建物のみ。セキュリティの方が出てきて、登録をしてくださいとのことで窓口に。

私が登録手続きをしている間、セキュリティの女性が外に出てきてプリンとハイタッチをしたり遊んでくれています。何日間いるんですか？ 3ヶ月です。などと質問に答えていたら、いつの間にかプリンがガードハウスの中に！ マレーシアの人はとてもベビーフレンドリーだよ！と聞いてはいたのですが、距離感の感覚が違いすぎてちょっとびっくりしました。セキュリティの方々がベビーフレンドリーで優しくてよかった！と思う反面、正直、中に連れて行っちゃうの⁇と驚く自分も（汗）

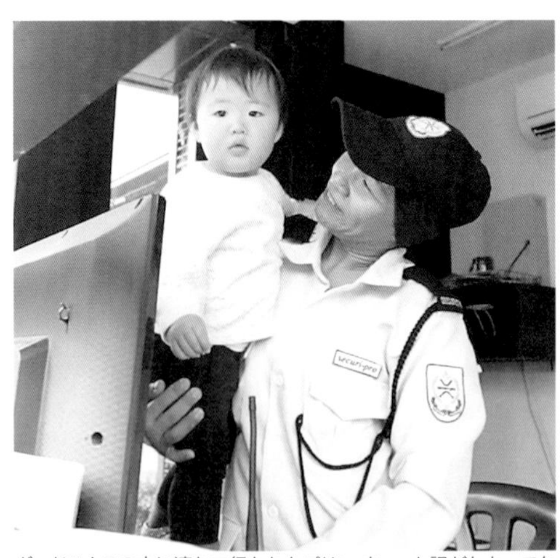

ガードハウスの中に連れて行かれたプリン。ちょっと訳がわかってない様子ですが、ここの女性たちにはずっと仲良くしてもらいました。

OUR NEW HOME! 私たちの新しいホーム！

今回滞在するサービスド・アパートメント「Anggun Residence」（以降アングンと省略します）のオープンロビー。

部屋は、写真通りとても綺麗で一安心！ 家具もデコレーションもおしゃれで、キッチンもお風呂場も広い。クアラルンプールのシンボルのペトロナス・ツインタワーは残念ながら見えませんでしたが、開放的な景色で大満足。あ、あそこにSOGOがあるよ！ と、日本のデパートが家から見えてびっくり。そういえば、近くにイオンもあると事前にこの辺りを視察してくれた友達のよっちゃんが言ってた。

日が沈み出すと近くのモスクのアザーン*が聞こえてきます。イスラム圏に滞在するのは2015年のイスタンブール旅行以来。なんだか懐かしく感じる。

ホテルやAirbnbに着くと、真っ先に確認するのがベッドの寝心地とシャワーの水圧。長期滞在だと余計に気になるポイントですよね。こちらの物件はどちらも合格！ アメリカでよくある「お湯が出なくなる問題」も全くなく、かなり快適でした。ただ、初日のお風呂でバスタブにお湯を溜めると、噂通り水がほんのり黄色い！ 白コーデにハマっていた私に、白い洋服は黄ばみますよ！と教えてくれたちか友（YouTubeのチャンネル登録してくれた方）の方々がいましたが、幸いにもこちらのコンドミニアムの水はそこまでではなかったです。でも、何も知らずにお湯を溜めたら「えっ？」と思うかもw

プチマレーシア情報

Adhán

*アザーンは、イスラム教における礼拝への呼びかけで、毎日5回ある「サラート（礼拝）」の時間の前に肉声で行われます。アザーンは、コーラン（イスラム教の教典）の朗誦とよく勘違いされるみたいですが（私もそうでした）、コーランを読み上げているのではなく、「アラーは偉大なり。アラーのほかに神はなし。ムハンマドは神の使徒。礼拝に来なさい。」という文をアラビア語で繰り返し、人々をモスクに誘（いざな）います。私たちは、毎朝、早朝の礼拝に向けたアザーンを聞きながら目覚めていました。

クアラルンプールのシンボルの「ペトロナス・ツインタワー」は見えませんでしたが、広々としていてなかなかの景色！

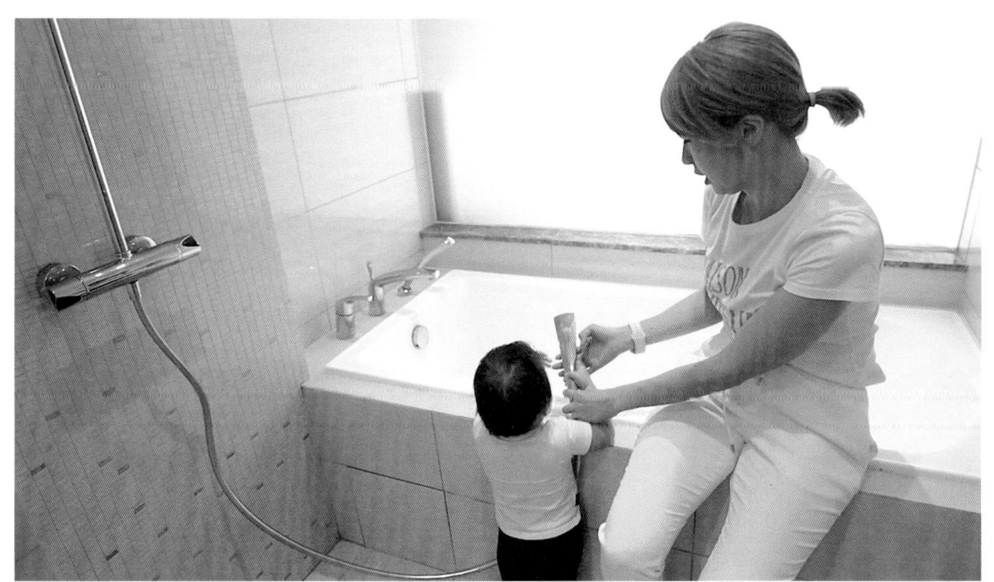
プリンと一緒にお風呂場の水圧をチェック！

ダイニングテーブルも綺麗にセットされていて、部屋はモデルルームのようにおしゃれ。作りと装飾からインテリア会社の意識の高さを感じました。でも、細かなところを見ると管理面では同じ美意識を持っていないことがわかります。洗濯機の上に用意してくれている洗剤と柔軟剤は、使い終わったペットボトルに入れてあり、手書きで中身が書かれていたり。インテリアと全く合わない真っ赤なゴミ箱に緑色のゴミ袋。せっかくおしゃれな物件なのに…と思うようなところはところどころありましたが、想像していたよりかなりしっかりした物件。細かいことは気にしない！← 海外で生活するに当たって絶対に必要なマインドw

綺麗なお部屋、充実した施設、第一印象はかなり満足！ 色々と調べて、現地に住む友達に事前に視察もしてもらって、一度も来たことのない国ですが、どうにかいい物件を確保することができました。これから3ヶ月間、ここが私たちのホーム。

プチマレーシア情報 Tap water

薄っすら黄色い水道水！
なんと水道管が原因。
マレーシアの水道水事情！

マレーシアの水道水はそのままでは飲み水として利用できません。マレーシア政府観光局のサイトでも記載されているのですが、屋台やレストランでは沸騰した水を使用しているので問題はないですが、心配な方はミネラルウォーターをおすすめするとのこと。私たちも10Lのミネラルウォーターを定期的に購入して飲んでいたのですが、マレーシアの浄水施設自体の質が悪いのではなく、水道管が問題なんだとか。古い建物だと、水道管の劣化で鉄さびが入った黄色い水（酷い場合は茶色）が出てくるそうです。私たちのマンションは、2018年にできたばかりだったので、気になるほどではありませんでしたが、お風呂にお湯を溜めると薄っすら黄色く見えました。

大きく開放的な窓でKLの景色を堪能できるベッドルーム。

PUDDING'S DAY CARE

プリンの保育園

左側の赤い看板が保育園。静かで落ち着いた通りにあり、安心。

日本人も多く住む「モントキアラ」という住宅街。
高層マンションの多さにびっくり。

子供たちはこのプレイスペースでほとんどの時間を過ごします。
この時は、小さなベッドを並べてみんなお昼寝中。

今回は滞在先の手配だけではなく、プリンを通わせたいと思っていたデイケアとのやり取りも事前に行いました。早朝のフライトで到着する予定だったので、コンドミニアムにチェックインする前に、プリンの保育園の見学を予約していました。

コンドミニアムから高速に乗ること15分、高層マンションが立ち並ぶ住宅地に降り立ち、「これが日本人が多く住むモントキアラかー」。数年前は日本人ばかりだったらしいのですが、最近は韓国から移住してきている方々も多いとか。マンションのお庭も綺麗に整備されていて、とても爽やかな雰囲気。私たちが滞在するところからは少し距離があるけど、予想通り治安が良さそうなエリアで保育園の立地としては安心できそう。

園内の壁には子供たちの様々なアート作品が飾られてあり、プリンの作品もいつか飾られる日が来るのかな〜と思うとほっこりしてきました。2階に上がるとガラスの壁の向こうに天井が高いプレイスペースがあります。一面の窓から日光が差し込みとても明るい。色使いも統一されていて、シンプルだけど洗練されたデザイン。プリンと同い年ぐらいの子たちが小っちゃなベッドを並べてお昼寝をしていました。プリンもちゃんとみんなと一緒に寝れるのかな?とちょっと心配。

目の前に寝ているお友達がちょっと気になりながら、子供用のテーブルや椅子、おもちゃなどを見て興奮するプリン。

ここの園児はみな3歳未満。暑さ対策と安全面で外では遊べないので、代わりに人工芝が敷いてある中庭のようなスペースがあります。

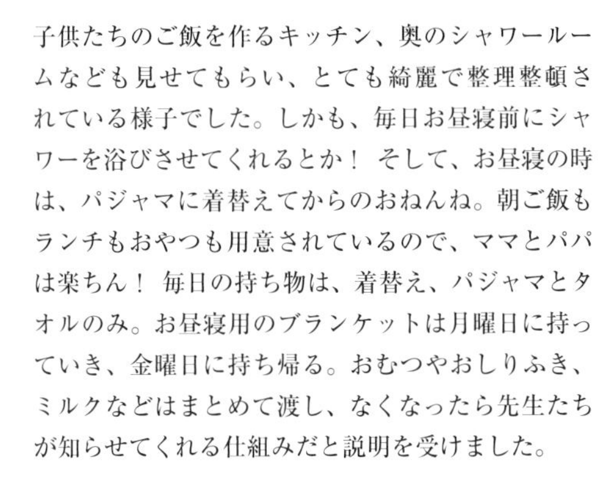

子供たちのご飯を作るキッチン、奥のシャワールームなども見せてもらい、とても綺麗で整理整頓されている様子でした。しかも、毎日お昼寝前にシャワーを浴びさせてくれるとか！ そして、お昼寝の時は、パジャマに着替えてからのおねんね。朝ご飯もランチもおやつも用意されているので、ママとパパは楽ちん！ 毎日の持ち物は、着替え、パジャマとタオルのみ。お昼寝用のブランケットは月曜日に持っていき、金曜日に持ち帰る。おむつやおしりふき、ミルクなどはまとめて渡し、なくなったら先生たちが知らせてくれる仕組みだと説明を受けました。

保育園の先生たちは、全員Auntie*と呼ばれ、マレー系の方とインド系の方がほとんどでした。アクセントはあるものの、みんな英語で話していました。そして、先生たちの多いこと！見学中みんなプリンに明るく声を掛けてくれて、とてもフレンドリーな雰囲気。子供たちはほとんどナップタイムだったので、あまり触れ合うことができずちょっと残念。でも、しっかりとしたマネージャーさんをはじめ、ここなら安心してプリンを預けられると思いました。

翌週の12月1日から通い始める予定だったのですが、少しずつ慣れさせるために今週から体験的に始めるのは可能ですか？と尋ねると、マレーシアの「Can! Can!」*文化を初体験する展開に！ 授業料は12月からでいいから、明日から数時間連れてきなさい～と言われて、なんて良心的！ お言葉に甘えて早速、次の日から数時間の体験をさせていただくことに。

プチマレーシア情報
Auntie / Can, can

*Auntie：マレーシアでは、目上の方へのリスペクトとして（親戚ではなくても）女性は auntie、男性はuncleと呼びます。アメリカ英語では、auntieとuncleは実際のおば・おじにしか使わないので、若い20代の保育園の先生たちもauntieと呼ばれていることに少し違和感を感じましたが、日本語でいう「おばさん」「おじさん」に加えて「お姉さん・お兄さん」のニュアンスも含まれているのかなと解釈しました。

マレーシア独自の英語＝マングリッシュや、ユニークで独特な人の呼称の違い

*マレーシア英語（マングリッシュ）でよく耳にする「Can, can」は、マレー語の「Boleh, boleh」の直訳で、英語でいう Yes（sure, okayなど）の代わりによく使われます。マレーシアの方は、穏やかでフレキシブルな方が多く、よくCan, canと答えてくれます！ マングリッシュについては、また別の章で詳しくシェアしますが、まずここでプチレッスンを！

PUDDING'S FIRST DAY!

プリンの初日！

保育園に登園すると、まずiPadで保護者と一緒に写真を撮り、その写真は登録されている保護者のメールアドレスに瞬時に届くようになっています。写真を撮った後は、手足に傷がないか確認し、消毒液をシュッシュとスプレー。チェックイン作業に2、3人の先生がいて、手厚い対応！

初日だったのでしばらく残って様子を見ることに。手を洗いに奥の部屋に行くとAuntieが英語で話しかけてくることに少し戸惑っている様子のプリン。でも、手を洗う動作は知っているし、ペーパータオルをゴミ箱にポイすることもわかっている。言葉は理解していなくても、行動を理解しているのでどうにか通じ合っていました。

私たちは、家では日本語で話しています。ママは英語で、パパは日本語でと意識をしていた時期もあったのですが、個人的に家族が別々の言語を話しているのに少し違和感を感じて、日本語に統一しました。その分、見る動画や絵本はほとんど英語。まだ言葉を喋らないプリンが何をどこまでどの言語で理解しているのかはわかりませんが、これからの3ヶ月は、家では日本語、保育園では英語と、場所でしっかりと言語を切り替えられる環境ができそうで良かった。

Let's throw away the towel! 知らない言葉を話すAuntieに少し戸惑うプリン。

今日はお友達も起きている時間でプリンは大興奮！ママとパパのことなんて忘れて遊びに行きました。

興味津々に遊んでいたプリンを2階に預けて、私は1階で申し込み書類に記入。「お子さんを知るために」という項目では、家で話している言語や子供の趣味、好きなおもちゃなどを聞かれました。そして興味深かったのは、ご飯やねんね、おしっこやうんちを家でなんと呼んでいるのかを書くセクションがありました。日本語であれば大体似たような言葉になると思いますが、そもそも多言語・多国籍のマレーシア、そしてさらにインターナショナルスクールという場では様々な言語環境にいる子供たちが集まるんだと改めて実感。慣れるまでは先生たちも大変！

先生から送られてきたプリンの写真。お友達に合わせて頑張って踊るプリンの様子。子供の逞しさに感動！

書類を書いている途中、上から泣き声が聞こえてきました。マネージャーさんにちょっと行ったほうがいいかもと言われ、2階に上がると、あるAuntieに抱っこされながら泣いているプリンが。校長先生が話しにきてくれて「これは全く普通よ。どの子も通る道だから。1週間経てばすっかり慣れるわよ」と笑顔で言ってくれました。そして、まずはプリンがどの先生に懐くかをみる必要があるとのこと。この保育園では、子供に担当を与えるのではなく、子供が担当を選ぶ。その子が選んだ先生がなるべくその子の対応をするというやり方だと説明してくれました。そして不思議なことに、プリンはこの初日でお気に入りの先生を見つけていました。

校長先生は、優しさもあり、強さもあり、プリンシパルらしい風格はお持ちでしたが、他の先生と同じ制服で『私は校長ですよ！』的な雰囲気は一切なく、とてもフレンドリーな方で、改めてここを選んで良かったと感じました。

OUR NEW NEIGHBORHOOD 意外と面白そうな私たちのネーバーフッド

コンドミニアムから右に曲がるとローカルサイドへ。 野良猫の泣き声、鳩の群れの羽音を聞きながら朝ご飯を買いにコンビニへ。

私たちが滞在したChow Kitという地区は、インド系のマレーシア人が多く住んでいるエリアでした。治安が良くない部分もあると聞いていたのですが、私たちのコンドミニアムは Chow KitとKLCCの境目だったため、プチ移住にぴったりなローカルとツーリストの異なる世界観をバランスよく取り入れたスポットでした。

プチマレーシア情報

Kaya Toast!

コンビニで気になるパンがあったので買ってみたら、なんとそれはマレーシアの定番朝ご飯メニューでした！

Kaya（カヤジャム）は、卵、ココナッツ、砂糖で作った東南アジアによくあるジャム。不思議な後味はパンダンリーフ。パンダンリーフの抽出液は別名で「東洋のバニラ」と呼ばれているのですが、デザートだけではなく東南アジアの様々な料理で使われています。ほんのり癖があり、個人的にはパンダンリーフを使っていないカヤが好きでした。そんなカヤとバターをたっぷり塗った「カヤトースト」はマレーシアの朝食の定番で、朝ご飯屋さんに行くと必ずメニューにありました。

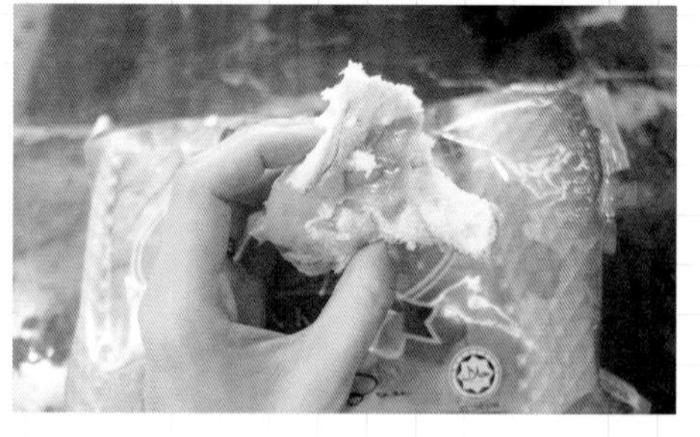

INTERESTING!

コンビニでもらった
biodegradableなビニール袋。
クアラルンプールでは2017年から
自然環境の中で容易に分解される
ビニール袋への
切り替えが始まったとか

午後は、食材の調達に近くのスーパーに行ってみることに。朝行ったコンビニと逆方向に歩くと、なんと、おしゃれなレストラン街があります！ アングン（コンドミニアム）を出てすぐにあるこのJalan Doraisamy という通りは、左右で180度世界観が変わります。

The Rowというおしゃれなレストラン街の向かい側にはシェラトンホテルがありました。今回のコンドミニアムに滞在するかを検討している時にシェラトンが近くにあることを知り、中心からは離れているけど大丈夫そう～と地理感覚が全くない中、少し安心したのを思い出しました。

The Rowというおしゃれなレストラン街。新しいコンドミニアムも開発中でこれからどんどん開拓されそうな予感。

Common ground（共通点）をもじった可愛いネーミングのカフェ。近くに作業ができそうなカフェがあって大興奮！

大通りの向かい側には、ファストファッションのブランドや映画館、そしてなんとAEONがあるショッピングモールが！ 目の前にあるのに横断歩道がなくて渡れない （汗）

クアラルンプールは、年中暑くて、歩ける都会ではありません。完全に車・バイク・Grab社会。歩いている人がいないから、横断歩道も少なくて、歩道では普通にバイクが走ります（これについてはまた後でw）。プリンの保育園の近くのカフェに行こうとした時も全然横断歩道がなくて不思議だな〜と思っていたのですが、そういうことかと納得。でも実際は、横断歩道がなくても渡ってしまうのがローカル流w どれだけ大きな通りでも、どれだけ車が走っていても現地の人はスイスイ渡っちゃいます。

やっと横断歩道を見つけても、通りにくいw

でも、みんなフレンドリー！ プリンに優しく手を振ってくれました。

やっと辿り着いたQuill City Mall。H&Mやスターバックスなどメジャーなブランドも入っています。でも、平日とはいえものすごく閑散とした様子。心の中では、横断歩道があったらもっとお客さん増えるよ~！と思ってましたw

モールに入ると巨大なブロックでできた大きなクリスマスツリーが立っています。この気候だと完全に忘れてしまいますが、実はクリスマスシーズンです。ツリーの横には、同じブロックでできた子供の遊び場があり、2時間15リンギット（約380円） で保護者は無料。

滑り台からトンネル、奥にはトランポリンまであってプリンも大喜び！

INTERESTING!

マレーシアの
室内プレイグラウンドでは
衛生面への配慮で靴下を履かないと
いけないのが基本ルール。
滑って怪我をしないように
裸足で遊ぶ日本のルールに
慣れていたのでちょっと驚き！

プリンにベビーチェアを買わないとと思っていたら、可愛いベビー用品がずらりと並んでいるお店を見つけました。インポートものが多く、その品揃えに感動！
ベビーチェアも何台かありましたが、3ヶ月の移住生活用にはどれもちょっと高すぎる。IKEAとかにあるんじゃない？ と話をして、このお店ではスタイなどの小物だけを購入。

H&MやNextなどのファストファッションを覗いてみると、子供服売り場がなんと充実していること！ でも、不思議なことにマレーシアの気候では確実に暑すぎるコートやカーディガンや厚手のトップスが。え？ もしかして、冬物？ そうなんです。海外ブランドは通常のシーズンで商品を展開するので、年中暑いマレーシアでも冬物が仕入れられています。冬物服に憧れているローカルも実は多いとか！ 暑さから逃げるために冬は寒いところに旅行をする人も多く、そのための冬服でもあるそうです。

マレーシアは、安易に物価が安いとは言えなさそう。想像以上に選択肢があり、どんなものを取り入れて、どんな生活を送るかによって、生活費は大きく変わっていく予感。

プリンも遊び疲れ、やっとスーパーへ。マレーシアにイオンがあると聞いた時は、勝手にシアトルのUwajimaya（以前動画でシェアしたシアトルの日本食スーパー）のようなお店をイメージしていました。

そんなイオンが家の近くにあってラッキー！と思っていたのですが、実はAEONはマレーシアで大幅に展開しており、70店舗以上あることを知りびっくり！（薬局も含めると100店舗以上）

そして、日本食スーパーというよりも、日本食を扱っている現地のスーパーと説明したほうが正しいかも。しっかりとローカライズされていて、手広く展開されていることに驚きました。

SAPPOROビールはインポートなのに、なぜアサヒはローカルビール？ と思ったら、アサヒは現地の工場で作られているとか！

おさるさんがコーヒーの売り場に行くと、ティーバッグのようなコーヒーが売られているのを発見。

日本のおむつもしっかり揃っています！ ムーニーマンは、マレーシアで「マミーポコ」というネーミングになっていました。

日本の調味料などはひと通り揃っており、インスタントラーメンやお菓子などもありました。そして驚いたのが、日本のベビー用品が沢山あったこと。オムツだけではなく、Pigeonのシャンプーやローションなども。

表のデリには、お寿司やお好み焼き、日本のお弁当なども売られていました。このようなスーパーが近くにあるのはありがたい！ でも、もう夕方だったので、この日は食事を外で済ますことに。来る途中に通ったThe Rowというレストラン街に気になるお店があったので、そこへ。

Google Mapsのレビューを見る限りかなりの人気店。中華とマレー・インドネシアテイストを融合したニョニャ料理というもの。テーブルや椅子、飾り付けなどもフリーマーケットで集めたかのようなモダンアンティーク的なものばかりで、色々なものを上手くリサイクルしておしゃれに仕上げてるような店内。
このお店の名前は Limapulo - Baba Can Cook。プラナカン文化では基本的に女性が料理をすることから女性の呼び名の「ニョニャ」をもじってニョニャ料理と呼ばれるようになったのですが、このお店の店主は男性。「Baba（男）だって料理できるよ」という遊び心のあるネーミング。

プチマレーシア情報 Nyonya!

Nyoyna（ニョニャ料理）は15世紀前後に多くの中国人がマレー半島へ移り住み、現地の女性と結婚したことがきっかけで生まれたと言われています。そのためか、中華料理をベースにしながらも、ココナッツミルクや、ウコン、レモングラス、パンダナスの葉などスパイシーなマレーの食材を加えたものになります。
ちなみに「ニョニャ」とは中国系移民男性と現地マレー人女性の間に生まれてきた女の子の呼称だそう。

中華とマレー料理を融合したニョニャ料理！

パイティーというアペタイザーが美味しくてびっくり！パリパリに揚げた器状の生地に甘く煮込んだ玉ねぎが詰まっていて、その上にエビがトッピングされている前菜。

A FUNCY SUPERMARKET!　お洒落なスーパーマーケット

選択肢の多さにびっくり！ 手前に見えるドアはなんとチーズセラー！

他のスーパーも見てみたいと思い、この日はGoogle Mapsで見つけたBen's Independent Grocer（BIG）に行ってみることに！ Independentという言葉の響きにこだわりを感じて行ってみたら、世界中からのインポート食品を多く取り入れた高級店でした！

スーパーの外にはカフェのテラス席があり、のんびりとお茶をしている近所の人たちが。中に入るとクリスマスデコレーションがされて、野菜が綺麗に陳列されているのを見て、高級さがわかりました。

コンパクトなスペースに世界中からの食品がギュッと丁寧に並べられており、Produceセクション（青果売り場）には、なんと日本産の野菜や果物も沢山。これは果たしてマレーシアの物価調査になるのか？ と思いながらw このような贅沢なライフスタイルも存在することに驚きました。

お肉売り場には、海外ではあまり見かけない牛肉の薄切りも売っていました。でも、あれ？ 豚肉がない？ そうです。マレーシアの人々は大半がイスラム教、コーランで豚を食べることは禁じられています。

でも、マレーシアは多国籍・そして多宗教な国。イスラム国家ですが、かなり寛容です。豚肉やお酒は、ノンハラール食品として別の売り場で販売されているのです。そして、このノンハラールの売り場では、基本的に中国系かインド系のイスラム教ではない方が販売を担当しています。

お会計は、別でしないといけませんが、売り場さえ変えればベーコンもハムも豚バラ肉もなんでも揃っています。デリ肉のショーケースに大好きなモルタデッラがあったので、薄くスライスしてもらい買ってみることに。一切れ目を試食させてくれたのですが、絶品で感動！ 店員さんもとてもフレンドリーでお店の意識の高さを感じました。

そんなノンハラールの豚肉の売り場の入り口には「Life is too short for boaring food」（人生はつまらない食べ物を食べるには短すぎる）と書いてあるのです（boringのスペルを boaring <boar=豚> に替えた言葉遊び）。このような遊び心のあるメッセージからもマレーシアの寛容さとプレイフルな国民性が表れていました。

プチマレーシア情報

Halal

料理だけじゃない！
イスラムの厳格なルール

Halal（ハラール）は元々アラビア語で「許される」という意味。日本では主に料理のことで登場しますが、本来は、イスラムの教えで許された行動やモノなどのことをいいます。「許されない」モノは、Halam（ハラーム）。
食べ物に関して言えば、野菜、果物、魚、卵、牛乳などはハラールで、豚や犬、死んだ動物の肉、お酒などはハラームです。食べ物以外では嘘をつくことや賭博、高利貸しもハラームです。

KL CITY CENTER

シティーセンターに日本がたくさん！

クアラルンプールと言えば、ペトロナス・ツインタワー！ というよりも、正直、行くまではペトロナス・ツインタワーのイメージしかなかったです（汗）。着いた当日Grabからは拝見していましたが、ちゃんと見に行こうとツインタワーの麓にあるKLCC Parkに。

ちなみに、KLCC Parkに行きたい場合、ペトロナス・ツインタワーに併設しているKLCC Suriaというショッピングモールで降りて、アクセスするのがおすすめです。KLCC Parkを目的地にしたら、ドライバーさんが降ろす場所に戸惑っていました。

そんなKLCC Parkはニューヨークのセントラルパークのような位置付け。クアラルンプールの中心地にある広々とした公園です。ペトロナス・ツインタワーの贅沢な景色の背景に、毎晩ファウンテンショーが見られる湖もあります。そしてお正月は、花火のプレゼンテーションが有名だとか。

そして、何より子供たちの遊具の数にびっくり！ まるで遊具カタログからすべてのジャングルジムを注文したかのようなバラエティで、カラースキームもバラバラ。とりあえず全部置こう！的な感じが衝撃的でしたw

それだけ楽しそうなプレイグラウンドがあるのですが、残念ながら、日中は遊具が熱くなりすぎてなかなか遊べません。その代わり、充実したプールエリアがあるので、次回はプリンも水着を持ってこないと、と思いました。

昼間の気温は32°C。ピーク前にと思って10時頃に行きましたが、それでも長くは歩けませんでした。ペトロナス・ツインタワーをバックに写真を数枚撮り、エアコンが効いたショッピングモールに避難！

KLCC Suriaは、6階にわたりファストファッションから高級ブランドまで揃っているショッピングモール。5階建てのISETANデパートもあってびっくり！ しかも、日本のデパートをそのまんま持ってきた感じでした。

実は、コンドミニアムに用意されていた包丁の切れ味が悪すぎて、ISETANなら良い包丁があるかも！と思い入ってみました。すると、フロアの分け方も日本と全く同じで、どこにいるかわからなくなりますw

フロアの構成まで日本と一緒で、モールの子供服店のほとんどが2階にあるにもかかわらず、ISETANの子供服売り場は、最上階にありました。そこはモールの構成と合わせないんだ?! と不思議に感じました。

下には、ISETANの食料品売場もあり、日本のパン屋さんや日本から輸入したお肉やお魚も色々とありました。

お刺身のパックには、「by air」のシールが貼られており、日本からわざわざ仕入れていることが明記されています。日本のスーパーのお刺身もなかなか頭付きのものはみないですよね？笑

最上階をぶらぶらしていたら紀伊國屋書店があることに驚きました！ しかも、日本では見たことのないような広さ。英語が話せるマレーシアの書店員がいるエリアには洋書が沢山。でも、奥に行くと日本の本の売り場も！ まるで日本の本屋さんがそのまま併設されているかのような大きさ。これだけの書籍があったら自分たちの本もあるかも！と思い、探してみたら、なくて残念（涙）

そんな時に、あるちか友さんが声をかけてくれました。綺麗な日本語で話しかけてくださったのでてっきり日本人だと思っていたのですが、なんと現地の方でした！ そんなちか友のKhoさんがバイリンガール英会話のコーナーがあることを教えてくれました。本当ですか?! と驚いて見に行ってみると、なんとWelcomeメッセージまで付けてくださっていました！

ちなみに、Khoさんは中国系マレーシアの方で、日本語はご自身で勉強されて、お仕事をされているとのこと。この後、インスタグラムで繋がり、年始にランチに行く予定を立てました（中国系マレーシアの方のアイデンティティーについて色々と教えていただき、133ページで詳しく書いています）。

教えてくれたKhoさん、Suriaの紀伊國屋書店の皆さん、ありがとうございました!!

KID-FRIENDLY SHOPPING!

キッズフレンドリーなモール！

Suria KLCCでISETANや紀伊國屋書店などの日本ブランドの存在に驚かされた後、プリンのベビーチェアやこれからの生活に必要なインテリア雑貨を買いにIKEAがあるMyTownというショッピングモールに行きました。

こちらのモールは、また世界観がガラッと変わり、Suria KLCCが高級志向の銀座の百貨店だとしら、ここは「ららぽーと」。ローカルなファミリー感で活気が溢れていました。ホリデーシーズンというのもあったと思うのですが、とにかく人が多くて賑やか。

ヒジャブをするマネキンが新鮮！

観光客よりも現地のお客さん相手なので、ヒジャブをしているマネキンなど、よりローカルに合わせたディスプレイが印象的でした。

そして、一番びっくりしたのは、このモールのベビーフレンドリーなこと！有料の遊び場やゲームセンターはもちろん、至る所に無料で遊べるプレイグラウンドがありました。

子供用の電車が常にモールを回っています。

1階のメインエントランスを入るといきなり大きなプレイグラウンドがあるのですが、そこだけではなく、高速道路のSAのように定期的に遊具が設置されています。中にはトランポリンをできるコーナーや動く馬のぬいぐるみに乗れるスポットなどもありました。

KLCC Parkにも長くいられなかったように、マレーシアは年中暑く、日中を外で過ごすことはあまりありません。

みんなエアコンの効いた室内を好むので、散歩は基本的に公園ではなくてモールでするものだとか。「ブラブラする」は、マレー語で「jalan jalan」というのですが、「jalan jalan=モールでお散歩」という意味らしいですw

マレーシアのショッピングモールは買い物をする場だけではなく、現地の方にとっては公園代わりのスポットなのです！

クリスマスのデコレーションもとても派手で、写真撮影スポットや滑り台などもあり、「見てもらう」というよりも、子供たちに「遊んでもらう」という工夫がされていました。

若い世代が多い人口構成だから自然とこのような環境になるんでしょうね。移住先を決めるにあたって人口構成を考えたことはありませんでしたが、子育てをする身として、そのようなことを考慮するのも居心地の良い移住先を見つける判断基準の一つになると思いました。

Suria KLCCのようにISETANや紀伊國屋書店などの大きな日本ブランドはありませんでしたが、お好み焼きの「千房」や「すき家」というしゃぶしゃぶのお店がありました。日本食はかなり好まれている印象を受けました。

年齢	男性	女性
85+	0.2%	0.2%
80-84	0.2%	0.2%
75-79	0.4%	0.5%
70-74	0.7%	0.7%
65-69	1.0%	1.0%
60-64	1.5%	1.4%
55-59	2.0%	1.9%
50-54	2.5%	2.3%
45-49	2.7%	2.6%
40-44	3.0%	2.9%
35-39	3.4%	3.0%
30-34	4.3%	3.7%
25-29	5.1%	4.5%
20-24	5.2%	4.7%
15-19	4.7%	4.4%
10-14	4.3%	4.1%
5-9	4.2%	3.9%
0-4	4.2%	3.9%

10% 8% 6% 4% 2% 0% 2% 4% 6% 8% 10%

マレーシア-2020
人口：31,528,033（2018年）
出典：DEPARTMENT OF STATISTICS MALAYSIA OFFICIAL PORTALより

目的のIKEAは日本のIKEAのショールームのように日本の間取りにローカライズされているような違いはありませんでしたが、それでも装飾に使われている色が原色系が多い印象でした。

そして探していた簡易的なベビーチェアもすぐ見つかり、この日のmissionは達成！

DAILY SNAPS

Waiting for our Grab!

クアラルンプールでの移動はほとんどGrab。
朝は渋滞もあり、少し時間が掛かる時もありましたが、
本当に便利！最初の頃は、下に降りるタイミングをまだ掴んでいなくて、こうやってロビーで待ってました。

大きなモールなどには
Grabユーザー専用の待機スポットがあり、
携帯の充電もできるようになっていました！

New friends!

セキュリティのお姉さんと仲良しになったプリン。
保育園に送って私が一人で戻ったりすると、
必ず "Where's baby?" と聞かれましたw

More new friends!

保育園の帰りに本物の"おさるさん"たちと遭遇！
ショッピングモールや高層コンドミニアムの
立ち並ぶエリアですが、
ちょくちょく野生のお猿の親子が出没します。
大都会なのにたまにジャングル感があって楽しすぎる☆

Delicious breakfast!

プリンの保育園の近くにあった
The Coffee Bean & Tea Leafで朝食を。
日本にもあるカリフォルニア発祥の
コーヒー店なのですが、このメニューは
アジア限定かも？
「Eggs Ben」はローズマリーフォカッチャに
チキンハムを使ったちょっと変わった
エッグベネディクト。
食べるクリームシチューみたいで、
美味しさにびっくり。

Yummy Mille Crepe!

紀伊國屋書店で出会ったKhoさんが教えてくれた
Suria KLCCにあるミルクレープ屋さん☆
マレーシアのムラカ州発祥のお店で、
高い品質を保つために多くの材料は
日本のものを使っているとか！
Malacca味は、ムラカのパームシュガーと
ココナッツミルクを合わせたミルクレープで
甘党の方におすすめ！

Coffee bags?

マレーシアのインスタントコーヒーは、
ティーバッグのようなものが多くて
おさるさんがびっくり！
コーヒーバッグというものに
なかなか慣れず、インスタントは
結局粉末タイプを使っていましたw

Pudding's Growth

「しっかり食べてますよ！」と
保育園から送られてきたこの写真。
メニューにはお米も多く、
この日のお昼はお粥とお魚料理が出たらしいです☆
新しい環境にすぐ適応して、
子供ってたくましい…… So proud of you baby!!

Malaysia's
#1
Briyani
Bistro
Bukhara Briyani
ROTI
NAAN

WEEK 2

Seeing the sights and the shops!

まずは思いっきり観光＆ショッピング！

DAY 7

Fun at the pool!

コンドミニアムのプールを満喫

8

Visiting the Batu Caves

Pinterestさんとのコラボ動画の撮影でヒンドゥー教寺院のバトゥ洞窟へ
午後は、欧米の方に人気なバンサーというエリアで南国ファッションのお買い物

9

Making some Japanese friends!

引き続きPinterestさんとのコラボ動画の撮影
夜は、マレーシア日本人商工会議所の忘年会に参加

10

Visiting the Thean Hou Temple

マレーシア最大の中国寺院「天后宮（てんごうぐう）」を観光

11

Shopping at the MegaMall

メガモールのAEONで買い物！
勢いでドリアンを購入するもの…

12

Trying Pan Mee

ちか友おすすめのお店でマレーシアを代表する麺料理「Pan Mee」を食べてみた
カードが使えなくて焦ったけど、ぎりぎり現金があってどうにか大丈夫

13

Pudding's First Recital!

プリンの初発表会！保育園のクリスマス会に参加
午後は、Suriaでサンタさんと写真撮影！

BATU CAVES バトゥ洞窟

クアラルンプールから車で20分ほどのところにあるバトゥ洞窟。ここはマレーシア随一のヒンドゥー教の聖地で、マレーシア内外から信者と観光客が訪れる場所です。民族衣装のサリーに身を包んだインド系の方々を多く見かけ、これまで見てきたマレー系、中国系が混在するマレーシアとは異なる空気が流れていました。

信者の方々が目指すのは、272段の階段を登った先にある約4億年前の石灰岩でできた巨大な洞窟の中に建てられているヒンドゥー教寺院です。このカラフルな階段は、訪れた人にとって絶好のフォトスポットです。

観光地などで素敵な写真を撮るためのコツの一つは、事前にPinterestで素敵な写真を検索しておくこと！ そうすることで、事前に画角などのイメージを掴むことができますし、場所に合った服装をチョイスすることができます。

南国ということで白コーデからカラフルなコーデに気分転換しようと思っていたのですが、色鮮やかなシーンにはやっぱり白が映える！ 旅行先でよく活用するAnthopologieの白いワンピースを着てみました。赤、黄色、青、緑、まさにレインボーカラーのこの階段、白を着ればどの色ともマッチします！

写真撮影で難しいのはもちろんコーデだけではありません。観光スポットには当然沢山の人がいます。他の人が写らない場所やタイミングを探すのがすごく難しかったのですが、周りの方もフレンドリーで譲り合いながら何枚か撮ることができました。

このカラフルな階段の見どころのもう一つは、元気よく走り回る野生の猿たち！ 人間慣れしていて、至近距離で見ることができますが、時々人間に餌をせがんだり人間の持っている食べ物を奪っていくこともあります。隣の階段を下りていたファミリーはお菓子を袋ごと取られていました。

階段を登りきると、大きな洞窟の入り口が現れます。一歩足を踏み入れると、それまでの暑さが一変し、ひんやりとした空気が流れ、神聖な雰囲気が洞窟内を包んでいます。ここが聖地となっている理由を感じ取ることができました。

ちなみにこのバトゥ洞窟へ続くカラフルな階段には、ちょっとした逸話があります。ここはマレーシアの文化遺産となっているので、本来は許可なしに色を塗り替えることはできないとのこと。でも、寺院側は、文化遺産は寺院であって階段は含まれていないとの解釈で、無許可でカラフルな階段に塗り替えてしまいました。塗り替えられる前の階段を見ると、くすんだ色をしていました。塗り替えられたことで、カラフルすぎて周囲の景観にマッチしていないという意見もあり政府と寺院側でひと悶着あったようですが、現在このカラフルな階段を目当てに沢山の方が訪れていることは間違いないようです。

ベビー猿をギュッと抱きしめるママザル。人間慣れしているとはいえ、ちょっと心配そう

なお、このバトゥ洞窟では、過激すぎて本国のインドでは禁止となった奇祭「タイプーサム」が開催されます。その様子を1月におさるさんが撮影しに行ったので、本書の後半でレポートしたいと思います。

洞窟の中は、外の階段のカラフルさに
負けないぐらい色鮮やか。

せっかくなのでおさるさんの写真も何枚か撮りました。足も長く見えて、いい感じ！

SHOPPING IN BANGSAR!

バンサーでお買い物

Week 1でクアラルンプールのモール文化（エアコンが効いた商業施設の存在の大事さw）はよくわかったのですが、ブティックショッピングが好きな私は、もう少しこぢんまりとしたお店を見つけたくて、アーバンライフを楽しめるエリアとして人気なバンサーに行ってみました！

2階建てのお家のようなお店が次々と並び、メルボルンのチャペルストリートを思い出すような街並み。レストランやカフェがほとんどで、アパレルや雑貨屋さんは少ないようですが、いくつか可愛いショップを見つけました。なかでもJORYA®というお店では、かなり大人買いをしてしまいました。シンプルなデザインのアイテムがあらゆる色で揃っていて、使いやすそうなものが沢山！

私がたくさん試着するので、店員さんはあれもこれもと勧めてきてくれました。特に私のテイストに合いそうなものとか、それが好きならこちら、とかの提案ではなく、結構適当に選んでいる印象でしたが、英語だと好き嫌いをはっきり伝えられるので、嫌な感じはせず、店員さんとコミュニケーションを取るきっかけになりました。

後半は、洋服のことではなくマレーシアのリゾートスポットについてお話ししていました。冬休みに家族で国内旅行をしたいと思っていたので、おすすめを聞いてみたらサバ州のコタキナバルがいいよ！と教えてくれました。

日本人の方々にはランカウイという島もいいと聞いていたのですが、現地の方がどんなスポットを好むのかも気になりました。

最後は、お互い同い年の子供がいることが発覚し、子供の遊び場のおすすめも聞いてみました。先日Messy Playに行ってきて、とても楽しかったよ、と話してくれたのですが、どうやら汚れる遊びをとことんできるキッズ向けのアクティビティサービスがあるらしい。

写真も見せてくれたのですが、確かに汚れまくり！ プリンにも絶対にやらせてあげたいと思って、聞いた情報を調べてみたのですが近いエリアには見つからず…行けないままでした。

でも、その発想自体素敵！と感銘を受けました。汚れたり、散らかしたりも立派な遊びで、たくさんの刺激があると思います。でも、家ではなかなかできないので、そのようなことをとことんできる施設があったら最高ですよね。

ただの洋服の買い物から始まった一日が、現地の方からたくさんのお話を聞ける時間となり、とても充実したショッピングデーでした。

JORYAは2週間毎に商品が入れ替わるらしく、2回目に行った時はかなりスタイルが変わっていました！

「いい靴さえ履かせてあげれば、女子はなんでもできる！」―― マリリン・モンロー

2階のお店のウィンドウから見えたおしゃれな水着！ 上がってみると、イエローをアクセントにしたとっても可愛い雑貨屋さんが！

JORYAの向かい側にあるSnack Foodという雑貨屋さんもとても素敵でした。2階にあるのでなかなか気づきにくいのですが、ウィンドウに飾られていた黄色い水着がたまたま目に入り、お店に入ってみることに。

2階に上がると広々としたおしゃれな空間！ こだわってセレクトされたグリーティングカードや子供の絵本、キャンドルやルームウェアなどもあり、お土産に買いたくなる雑貨が沢山ありました。

Got this yellow one piece!

お店の広さも、スペースに余裕のある商品の並べ方もクアラルンプールならでは！

ウィンドウから見えた水着を買うことに！ お会計の際に、店員さんとお話ししていたら、マングリッシュではなく、とても綺麗なアメリカ英語。英語が流暢な方はクアラルンプールにたくさんいますが、ほとんどの方がマレーシア訛りのマングリッシュを話すので、逆に彼女のアメリカ英語のアクセントがとても新鮮でした。

アメリカに住んでいたのか尋ねると、海外に住んだことはなく、英語は、アメリカのテレビ番組や音楽をひたすら聞いて身につけたと教えてくれました。

本当にそれだけ?? とツッコミたくなりましたがw 若い方にとってポップカルチャーの影響って大きいですよね。私がこれまで出会ったちか友さんでスラスラと英語を話せる方の多くは、ディズニーが大好き、洋画・洋楽が大好き、という方が非常に多いです。単に勉強で英語を身につけるだけではなく、好きから入るからこそ続けられて、結果に繋がりやすいんでしょうね。

THEAN HOU TEMPLE 東南アジア最大級の中国寺院

クアラルンプールには、モスクはもちろんですが、ヒンドゥー教の寺院、そして中国寺院もあります。今回訪れたのは、マレーシアのみならず、東南アジアで最大級の中国寺院「天后宮（てんごうぐう）」です。1989年に創建されたこの寺院。鮮やかな色使いと美しい造形の装飾、そしてランタンが特徴的です。

ロブソン・ハイツという丘の上に建つ寺院は、クアラルンプールの町並みを見渡すことができる、気持ちの良い場所です。占いなどでも有名らしく、現地の中国系の方々には、人気のwedding spotでもあるみたいです。

まずはお参り。現地の方の参拝を真似てお参りをしました。海外に行くと、教会やモスク、寺院などを巡ることが多いですが、その土地土地で神様にご挨拶をさせていただくような気持ちで参拝をします。

ある旅ブログでこの寺院の存在を知り、何個ものランタンが吊るされている風景が素敵すぎて行ってみたいと思いました。ビビッドな色合いでとてもフォトジェニックな場所でしたが、ランタンはおそらく旧正月などのお祝い事の時に飾られるもので、私たちが訪れた時は見当たりませんでした。でも、なんて青空に映える色合い！ 撮影をしながらテンションが上がりました！

Pinterestで見つけたこの寺院での写真をインスピレーションに、この日は、バンサーで見つけたJORYAというブティックで買った黄色のロングスカートを穿くことに。

メルボルンでの移住以降、私は白を基調とした服を着ていましたが、ここマレーシアに来てからは、その色彩と活気溢れるエネルギーに刺激されて、カラフルな色の服を着るようになりました。その国々でファッションへの意識が変化していくのも楽しいものです。

この後、寺院から車で数分のところにある「RESTORAN SIU SIU－小小飯店－」という中華料理屋さんで昼食をとりました。木々に覆われていて、外から見ただけだと入るのにちょっと勇気のいるお店です。看板には「河魚専売店」と書いてあり、案内されるとメニューはが中国語でしか書かれていません！

おさるさんと漢字のイメージからメニューを想像したのですが、ピンとこないものも結構あり、ある方法を思いつきました。以前パリで英語のメニューがないお店で使った手法なのですが、お店をGoogleで画像検索すると、メニューの写真を見ることができるので、頼みたいものの画像を店員さんに見せて、無事注文ができました。これなら大丈夫でしょう！と店員さんを呼んだら、店員さんはバリバリ英語を話せて、メニューの内容を丁寧に説明してくれました（笑）

そして注文した、カラマリのようなイカフライや、揚げパンも美味しかったです。カレー風味の鍋は私は少し苦手でしたが、おさるさんは美味しいと言ってほぼ一人で完食！ 後から知ったのですが、このお店は地元はもとよりクアラルンプールに住む日本人にも知られている評価の高いお店でした。

MID VALLEY MEGAMALL　東京ドーム3.4個分の巨大モール

この日はミッド・バレー・メガモールという、クアラルンプールで一二を争う大きさのショッピングモールに行きました。総床面積は約15万8000平方メートルで、東京ドーム約3.4個分という広さを誇ります（これだけ広くても、マレーシアでは1位ではないことに驚き！）。

モールは大きく分けて2つに分かれていて、1つは「ザ・ガーデンズ・モール（The Gardens Mall）」で、こちらは高級ブランドなどが入るモールです。そしてもう1つが「ミッド・バレー・メガモール（Mid Valley Megamall）」となります。

クアラルンプールのショッピングモールには、ちょこちょこ日本のお店やブランドが入っているのですが、「ミッド・バレー・メガモール」の充実度は「え、日本人向けモール？」と思うほどです。

メガモールは日本食も充実しています。モールの入り口には「星乃珈琲店」があり、よく利用していましたし、フードエリアには「はなまるうどん」や「吉野家」「銀だこ」の他、ラーメン屋さんやお寿司屋さん、日本料理屋さんなどが入っています。

この日は「はなまるうどん」を食べました。トッピングの種類など日本との違いはありますが、温玉もありますし麺も出汁も日本と変わらない味で、日本と同じものを海外で食べられて嬉しかったのですが…YouTuberとしてはそのチョイスどうなの？ マレーシアでしか食べられないような変わり種を食べるべきなんじゃない？と思い、おさるさんが2杯目に「スパイシーコーンバターうどん」という日本では見かけないうどんを食べました。

味を表現するのはけっこう難しく、日本の出汁とマレーシアのスープが相まった“新しい味”といった感じです。英語だと「It's different」「It's interesting」と表現します。こうやって海外の文化と日本がどう融合されているかを体感するのも楽しいですよね。

嬉しいことに、4階に大きな「無印良品」が入っています。旅行中だったら、海外でわざわざ日本ブランド？と思うかもしれませんが、生活をするとなると「無印良品」のありがたさは格段に上がります。この時は、コップや枕、整理用の雑貨などを購入しました。シンプルで品質の良い品々を異国の地で買えるのはありがたいです。

なお、地下にはAEONのスーパーと薬局もあり、私たちのコンドミニアムの近くのAEONより規模が大きく日本の食料品も充実していたので、定期的に通う場所になりました。

日本の調味料はもちろん、インスタント食品、乾麺、お菓子、日本の野菜や果物、日本のアイスクリームまで充実していて、食材に関して困ることは一切なさそうです。

お惣菜売り場には、お寿司や日本のお弁当、焼き魚弁当や唐揚げ弁当が綺麗に並んでいました。スーパーの隣のフードコートには、「Sukiya」もあり、日本にあるようなパン屋さんやスイーツ屋さんもありました。

マレーシアに来てから、このようにあらゆる商業施設で日本食や日本ブランドが充実していることにとても驚いたのですが、欧米スタイルのおしゃれなカフェなどの多さにもびっくりしました。

数日後にまた用事があってこちらのモールに戻ってきたのですが、プリンを保育園に送った流れだったので前回通り過ぎて気になっていたオープンエアーのカフェで朝食をとることに。

開放的でおしゃれな作りですが、気取りすぎておらず、居心地の良いカフェでした。メニューもL.A.のカフェにあるようなドリンクやフードが揃っています。マレーシアに来る前は、正直このようなライフスタイルがあると思っていなかったので、カフェ巡りが大好きな私としてはとても嬉しかったです。（Week 10は、番外編として、クアラルンプールのお気に入りカフェをご紹介しています）。

私の勝手な推測ですが、マレーシア、特にクアラルンプールは、英語が日常的に使われているため、アメリカなどの英語圏の情報や文化をリアルタイムで知ることができ、海外の流行りをいち早く取り入れることができるのだと思います。

更に、中国系マレーシア人の方は特にアントレプレナーシップ精神が高く、マレーシアからオーストラリアに留学して、海外生活で受けた様々なインスピレーションをマレーシアに持ち帰り、起業する若者も少なくないようです。

PUDDING XMAS RECITAL!

プリンのクリスマス発表会

プリンが保育園に行き始めてから数日後、保育園からクリスマス・パーティーのお知らせが送られてきました。情報は日時だけで、特に詳細はなし。前日のお迎えの際に、明日はお子さんに白いシャツと黒いパンツを穿かせてきてくださいと言われて、翌日保育園に向かいました。

当日は、エントランスが可愛くデコレーションされていました。周りの緑と真っ赤なバルーンがクリスマスにぴったりなカラーコンビ！ かなり気合いが入っています！

プリンを先生たちのところに連れていくと、パフォーマンスの準備に入りますので少しお外でお待ちくださいと言われて、「え？ ただのクリスマス・パーティーではなくて、発表会?! どんなパフォーマンスを準備しているのか、楽しみすぎる！」。一気にワクワク感が増しました。

2階に上がると、室内もとっても可愛いクリスマスデコレーション。子供らしさはありつつも、大人でもテンションが上がるセンスのある仕上がり。メルボルンの保育園と同様、小さい頃から美意識が磨かれそうなインテリアと装飾は、日本の子供の施設ではあまり見かけない気がします。

家族の皆さんはちびっ子たちが登場するのを心待ちにしている様子。自分以外の誰かのことでこんなにドキドキするのは初めてでした。親になるってこういうことか！と初めての感覚を味わいました。

プリンの初めての発表会！ パパも相当気合いが入っています。

挨拶の言葉で、校長先生が子供たちがここ最近ずっとこの日に向けて頑張って練習していたことを教えてくれました。その後、音楽が始まり、奥の部屋からグループごとに登場！ あ、プリンだ！ 赤いスパンコールのスカートを穿いて、先生の手を握って出てきました。

グループごとのパフォーマンスが始まり、プリンは大勢の人に少し圧倒されながらも音楽に合わせて踊っていました。ママだよ～！と大きく手を振ると、気づいてくれて手を振り返してくれたのですが、その次の瞬間に私が投げキスをしたらお別れの合図だと思ったのか急に大泣き（汗）。あちゃ～こっそり見てればよかった～と反省。

自分のグループの番が来ても、プリンはずっと泣いたまま。先生がずっと抱っこしてあやそうとしてくれていました。みんなママとパパに気づき始めたのか、泣き声が増えていき、子供をあやしに席を立つママとパパたちでステージが徐々にカオス状態に。最後は確かに発表会というよりもパーティーになっていましたw

発表会が終わると、外でブランチタイム！ 保育園が色んな食べ物を用意してくださいました。フライドライスやヌードル、サラダやキッシュ、子供たちの様々な国籍に合わせてインターナショナルなメニュー。でも、さすが甘党のマレーシア、デザートの種類が豊富でした！

DAILY SNAPS

Poolside Vlogging!

コンドミニアムのプールからレポート！
私がvlogする姿をよく見ているプリン、
GoProに向かって赤ちゃん語で一生懸命
おしゃべりしてました。

Colorful Ebikko!

カラフルなebikko？「えびっこ」かと思いきや、
ししゃもの卵だとか。真っ黒（醤油）、
真っ黄色（ゆず）、真緑（わさび）など、
斬新な色合いにびっくり！

New toy!

おもちゃ屋さんでスクーターにチャレンジするプリン。
最初は店員さんが手助けしてくれましたが、
その後一人ですいすい。
私もおさるさんもびっくりして
これは買ってあげるしかない！
とプリンのおもちゃがまたまた増えました（汗）

On stage!

「マレーシア日本人商工会議所」の忘年会にお誘いいただき、
560人のビジネスマン・ビジネスウーマンの前で
ご挨拶させていただきました。
クアラルンプールで働く日本人コミュニティの規模と
仲の良さに圧倒されました！

Kingstreet Cafe

中国寺院「天后宮」の帰りに立ち寄ったカフェ。
何もないところに
ぽつんと立っているのですが、
店内は落ち着いていて、カフェラテも美味しい！

ADA JUAL
SANTAN

WEEK 3

Exploring more of our neighborhood

家の近くのエリアをもっともっと開拓！

DAY 14

Visiting Eco Park

マレーシア最古の森林保護区でお散歩！
夜は、有名な観光地の「アロー通り」で屋台フードを満喫

15

Nanny interview

ナニーさんを面接

16

Work day

作業デー

17

A delicious lunch and an challenging dessert

Kin Kinの絶品Pan Meeとfish soupからの
ドリアン乗せチェンドルで悶絶

18

Visiting Toyota Malaysia & the Blue Mosque

TOYOTAマレーシアを訪問、
その後近くにあるブルーモスクを見学

19

Uniquely Malaysian burgers at MyBurgerLab

マレーシアのハンバーガー屋さんで変わり種バーガーを食して興奮し、
夜は日本のお寿司で落ち着く

20

Visiting the Kuala Lumpur Aquarium

モノレールに乗って水族館へ！

ECO PARK

都会にあるジャングル

このEco Parkには、全長200メートルほどの吊り橋を歩く「キャノピーウォーク」があり、お猿さんになった気分で、木から木へと移動する空中散歩を楽しむことができます。お散歩コースはいくつかありますが、このキャノピーウォークは当時1歳半だったプリンも自分でなんとか歩ける距離で、吊り橋のゆらゆらを楽しみながらトコトコと前に進んでいました。

いつも参考にしているPinterestで吊り橋を上から撮影した写真を見かけて、どうやって撮ってるんだろう？と疑問に思っていました。実際に行ってみると、高さが異なる吊り橋があり、高いほうの階段を上って低いほうの吊り橋を撮ると、ドローンチックな一枚が撮れます！

木々に囲まれていますが、日中は暑いので朝の早い時間帯が涼しくておすすめです。

ペトロナス・ツインタワーに加えてクアラルンプールのもう一つの象徴的な建物「KLタワー」。1994年に建設されたこのタワーは高さ421メートルで、東南アジアで最も高い通信塔です。私たちの部屋は逆方向でしたが、コンドミニアムの入り口から綺麗に見え、朝は青空を背景に、昼はスコールと立ち向かい、夜は紫やピンク、ビビッドなライトアップでキラキラ光り、タワーの様々な顔を知ることができました。

KLのタワーまでは、距離にすると200〜300メートルなのですが、その周辺がジャングルで囲われているため簡単に歩いては行けません。こちらのジャングルは、クアラルンプール・フォレストエコパーク（Kuala Lumpur Forest Eco Park）といい、マレーシアで初めて自然保護林に登録された森の一つで、マレーシア政府によって管理、保全されています。

周囲にはオフィスビルや高層コンドミニアムなどが立っており、大都会のど真ん中にある贅沢なジャングル。クアラルンプール中心部で唯一残っている熱帯雨林です。

大都会と大自然を両方楽しめるこのスポットは何気に私のお気に入りで、マレーシアに家族や友達が遊びに来てくれた時には必ず案内していた場所です！（約3ヶ月しかいなかったのに、ローカルぶって！笑）

マレーシア料理ってあまりイメージがわかないと思うのですが、日本人に親しみやすい味で本当になんでも美味しいです！ なかでも感動的に美味しかったのが、Chow Kit（チョウキット）に本店のあるKin Kinというお店！ コンドミニアムから徒歩で7〜8分ぐらいのところにあるのですが、AEONやシェラトンホテルのある大通りから脇に入った通りにあり、周囲は車の修理工場やアパートなどがあります。ローカル感満載のエリアで、お店の中も簡素な感じで、いわゆる下町の大衆食堂です。大人気で昼時などは行列ができています。

私たちは現地の駐在員の方にすすめていただいたのですが、実際私たちの隣の席の方もマレーシアに住む日本人の方で、別のエリアに住んでいるにもかかわらず、わざわざ食べに来ているそうです。なお、ブキッ・ビンタンにあるショッピングモール「Lot 10」の地下にあるフードコートにもあり、支店はいくつかあるようです。

そんなKin Kinの人気メニューは、ドライPan Mee（パンミー・板麺）。まぜそばのようなもので、自家製麺の上にそぼろとマレーシアの定番の煮干し、そして半熟卵がのっていて、よく混ぜて食べます。もちもちした麺に卵が絡み、煮干しの味も加わって、ぺろっと食べられちゃいます。実際、お話しした隣の男性たちは、必ず2杯ずつ頼むと言ってました。

隣にいた2人は常連さんでした！

辛いのが好きな人は、テーブルに置かれている食べるラー油みたいなチリを入れても美味しいと思います。私は辛いのがあまり得意ではないのですが、少しだけ入れてみたら、コクが増して美味しい！ 辛いの意外といけるじゃん私！と思わせてくれた一品でした。

そんなPan Mee以外に、何気にハマったのがフィッシュボールの入ったスープです。揚げた湯葉のようなものと、フィッシュボールのスープなのですが、透き通っているものの、しっかりと魚介の出汁が効いていて、かと言ってクドすぎずあっさりしているという、絶妙なバランスのスープ！ 接続が悪くてチカチカする照明、壁にマーカーで直接書かれたメニュー。お店の雰囲気からは、想像ができない上品な味！

おさるさんは「このスープに浸かりたい」とまで言っていました（笑）。他の支店はわかりませんが「Lot 10」のフードコートにはこのスープはなかったので、これを食べるためだけに、この本店に来てもその価値はあると思います！（今、この原稿を書いていたら、また食べたくなってしまいました～）

Side Order：アペタイザー
fish ball　：魚のすりみ団子
Pork ball　：豚のすりみ団子(含イカすりみ)
Fried tofu skin：揚げ豆腐スキン
Can mix　：3種類ミックスできます。

壁に書かれているメニュー。なぜか日本語も！
最後のミックスできますの英語表記が
マングリッシュすぎて笑えるw

CHOW KIT

クアラルンプール最大のウエットマーケット

この日は、その足で同じくChow Kitにあるクアラルンプール最大のウエットマーケット「チョウキット市場」に行きました。ウエットマーケットとはその名のごとく「濡れた市場」で、魚介類や肉類、野菜などが売られています。

業務用なのか大量の卵を買っている人や、魚を吟味している人など、地元の方の生活を垣間見ることができます。どのお店も綺麗に陳列されています。左の写真の黄色い物は脚つきの鶏肉。ちょっとびっくりしましたが、マレーシアの鶏肉がとても美味しいのは、こういった市場で新鮮な鶏肉が手に入ることからなんだな～と感じました。さすがに鶏丸ごと一羽を買うことはできなかったのですがw 青果店でマンゴスチンなどのフルーツを買いました。

肉や魚売り場を通り過ぎて角を曲がると真っ黄色のスツールと青いテーブルが印象的な屋台があります。

多くの方で賑わっていて、子供も大人も楽しそうに何かを食べています。「あれ、チェンドルじゃない?!」マレーシア料理について調べていた時にマレーシア版かき氷の「チェンドル」の存在を知り、気になっていました。ちょうどKinKinで美味しいお昼を終えたところだったので、完全にデザート気分！ 楽しみに屋台に入ってみました。

ブースの女性にチェンドルを1つくださいと注文すると、後ろのお兄さんがネオングリーンのボールにかき氷を入れ、ボールと同じぐらい緑色のものをトッピングし始めました。他に数種類のトッピングを載せてジャジャーン！ え?!

チェンドルは、マレーシア版「かき氷」とよく言われますが、これはどうみてもかき氷ではありませんw 氷はどこにあるの??というぐらいトッピングが強烈。しかも、一番上にのっかっている物体は……もしかして??

ドリアン!!! オーマイガー！

こちらのチェンドルにトッピングされているドリアンはkampungドリアンと言って、特にブランドはなく、訳して「村で採ってきた」ドリアン。色は白っぽくて、少し酸味があり、数日前にスーパーで買って食べた最も濃厚と言われているムサンキングに比べたらだいぶあっさり。でも、やっぱり複雑な味。玉ねぎっぽさがある中、たまにマンゴーのような甘みを一瞬感じたり。好きではないんだけど、なんか気になる。

一般的なチェンドルは、氷とココナッツミルクに小豆、パンダンゼリー、コーンなどを混ぜて冷たいスープのように飲みます。

おさるさんがドリアンを頑張って食べてくれたお陰で、やっとその下に入っていた材料も見える状態になりました。ココナッツミルクがたっぷり入っており、その中には謎の緑色の物体。こちらは、麺のような形をしたパンダンゼリー。ネオングリーンの色合い、そしてほんのり癖のある香りは、パンダンの仕業でした。実は、このパンダンゼリーのことをチェンドルと言うらしいです。その他、小豆とコーンが入っていて、なんて斬新な組み合わせ。

CRAFTING CULTURE

欧米のクラフト用品の充実！

クリスマスツリーのデコレーションを調達したく、クラフト屋さんを検索していたら、IKEAがあるMy TOWN Shopping Centerにオーストラリア発祥のSpotlightというお店があるとのことで、行ってみました。

クラフトの文化の違いもあるので、日本とはまた違うテイストのものが沢山売ってあります。例えば、スクラップブック用のアルバム、紙やシール、素材が山ほど！

なお、海外はパーティー文化が盛んで、デコレーションなどを派手にDIYすることもよくあるので、このようなクラフト屋さんは大抵パーティーグッズも充実しています。それがまたテンション上がるんです！

アメリカに戻る際には、必ずこのようなクラフトショップに行って数時間過ごしてしまうぐらいです。飲食店やカフェの話でも触れましたが、クアラルンプールは、日本の要素もあり、欧米の要素もあり、私にとっては嬉しい中間拠点かも！と改めて思いました。

プリンの保育園のクリスマスパーティーのデコレーションを見ても思いましたが、デコレーションに対する意識はかなり欧米に近い気がしました。英語の存在、そしてオーストラリアからの文化の輸入も大きく影響しているように感じます。

このクラフト屋さんには、何度かお世話になり、ロックダウン直前にも駆けつけて、プリンと家で過ごす間に楽しめる絵の具やクラフトグッズを色々と揃えました。

ここに行けば全部揃う！みたいなアート屋さんって本当に便利ですよね。私の場合、動画制作で小道具を作ったりするので、仕事的にもこのような場所があると便利だと感じました。

とりあえず、この日はクリスマスツリーのデコレーションを作るためのものを買って、ツリー自体はIKEAで調達することができました。

MYBURGERLAB

斬新すぎるバーガーショップ！

クリスマスデコレーションの買い物が終わったら、そろそろランチタイム！ 前回このモールにきた時に行列が気になっていたmyBurgerLab というハンバーガー屋さんに行ってみることに。

真っ黒のバンズにお肉と沢山の具が挟まれているハンバーガーのポスターが気になって仕方がない。メニューを見ると変わったハンバーガーばかり。レジの横には、期間限定のクリスピー・クリームとのコラボバーガーのポスターがあり、しょっぱいものと甘いものの組み合わせに弱い私はそれにしてみました！

レジの店員さんはとてもフレンドリーな青年だし、注文を受け取りに行った時のキッチンの女性もとても明るくて元気いっぱい。若い子たちが楽しく一生懸命働いているは、こちらも気分が良くなります！

頼んでみたクリスピー・クリームとのコラボバーガーは、サクッと揚げたフライドチキンにチーズとソースがたっぷりトッピングされていて、なんとドーナツに挟まれているもの！ 私が好きな甘じょっぱい感じ！ お腹は満足、でもかなりの罪悪感w おさるさんは、ウルトラマンという変わったネーミングにつられてフライドチキンにソルテッドエッグ（塩漬け卵）のバターミルクソースを掛けた真っ黒バンズのハンバーガーにしました。このバーガーには、ソースに赤唐辛子とカレーリーフが入っているバージョンもあり、とてもアジアンな風味。なかなか食べたことのないハンバーガー！

フレンドリーな店員さんがチャンネル登録してくれました！

食べて美味しいだけではなく、サービスのフレンドリーさもメニューのクリエイティブさも刺激になり楽しいランチを過ごせました。

詳しい食レポはYouTubeに投稿しているのですが、その動画を見てちか友の方々がお店に行ってくれたみたいで、後日ファウンダーの方から連絡があり、マレーシア生活後半に実際お会いして少しお話を聞くことができました！ （265ページ参照）

watch for more!

（#857）ドーナツ・バーガーやウルトラマン・バーガー！マレーシアの斬新すぎるバーガーショップ！

BLUE MOSQUE

ブルーモスク

この日は、通称「ブルーモスク」、正式名称「スルタン サラディン アブドゥル アジズ シャー モスク（The Sultan Salahuddin Abdul Aziz Shah Mosque）」を見学してみることに！ ブルーモスクは、マレーシアで最も大きく、世界でも4番目の規模を誇るモスクです。

私はトルコ・イスタンブールを旅した際に、いくつものモスクを見学しましたが、このクアラルンプールのブルーモスクは、開放的なマレーシアの青空とモスクの青が見事にマッチし、他のどれとも異なる美しさを誇っています。

自由に見学ができるモスクもあると思いますが、こちらのブルーモスクはガイドの方が案内してくれます。

女性は手と顔以外は服で隠れていないといけないので、無料で青いローブとヒジャブという被り物を貸してくれます。男性も半ズボンの場合は隠さなければならないようですが、おさるさんはこの日、長袖長ズボンだったので、隠すためのローブは借りませんでした。どの宗教施設でも、そこは聖地ですので、ルールやしきたりを守ることと、そして心を寄せることが大切ですよね。

ドローンで撮影した空からのブルーモスクの姿。
青空と白い雲とぴったりマッチし、ものすごい存在感。

イスラム教では礼拝を行う前に清潔な水で手を洗い清めます。その手順をおさるさんがレクチャーしてもらっていました。また、お祈りの方法や、どんなことを祈るのかも教えてもらったのですが、ガイドの方がモスクの中にいた男性に「手本を見せてあげて」と声をかけてくれました。男性は快くお祈りの作法を教えてくれました。ガイドの女性とお祈りに来ていた男性の気軽なやり取りを見て、モスクの方々のコミュニティ意識を感じました。

ブルーモスクは、外観もさることながら、中も美しいです。光の入り方や青い装飾に心が洗われる感じがします。

案内の言語は英語ですが、日本語の資料もあり、ガイドの女性がわかりやすく説明してくれました。ツアーの時間は特に決まっておらず、聞きたいだけ説明をしてくれるフレンドリーな対応ですが。

中庭を囲う真っ白なラティスが美しすぎる

この日は、ラッキーなことに結婚式が行われていました。帰り際にガイドさんが結婚式の写真撮影が行われている会場へ案内してくれ、マレーシアの新郎新婦の姿を拝見することができました。部外者なのに申し訳ない……と思ったのですが、新郎新婦はとてもフレンドリーに迎え入れてくれて、一緒に写真も撮らせていただきました。

床に置かれているのは、新郎側から新婦に贈られたお祝いの品物。カラフルなフルーツや、香水のセットなどがゴージャスなピンクゴールドのトレイに飾られていてとても華やか！

マレーシアの結婚式は、とにかく沢山のゲストを招くそうで、新郎新婦と面識がなくてもお祝いに駆けつけるとのことですが、私たちにまで、日本の結婚式でいうプチギフトみたいな引き出物を下さいました。熱心に色々と説明してくださったガイドさん、お祈りの手本を見せてくださった男性、結婚式という大切なお祝い事に初めて会った私たちをウェルカムしてくださった新郎新婦とそのご家族、皆さん優しくて、モスクにいる人々の温かさを感じました。

プチマレーシア情報 Wedding

マレー系の結婚式は、決まった開始時間などはなく、親戚やお友達が行ける時に顔を出してちょっと食事をいただいて帰るというとてもカジュアルな参加方法！ 仲良くなった現地の方いわく、集まって祝ってもらうというよりも、感謝の気持ちを込めて食事を食べさせてあげるという感覚らしく、特に親の知り合いなどは新郎新婦に会わず食事だけして帰る場合もあるとか！ これだけカジュアルだからこそ誰でもウェルカムなんですね！

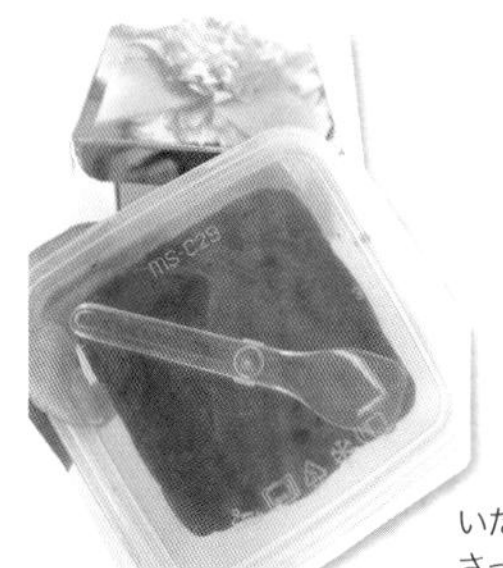

いただいた引き出物は、ドライフルーツが入っているチョコレートケーキでした！
さっぱりしたブラウニーのようなもので、美味しくいただきました！

DAILY SNAPS

Famous Street Food!

有名な屋台街のアロー通りでマレーシア初屋台！
すすめていただいていた偽ミッキー（?）のお店が
お休みだったので少し残念ながら別のお店に入ったら、
チキンソテーが美味しくて、
プリンも噛みちぎって食べてましたw

チョウキット市場に向かう途中で、
真正面からバイクが走ってきてびっくり。
こっちでは普通にバイクが歩道を走ります！

Crafts Galore!

Mid Valley MegaMallにあるクラフトやさん「Spotlight」。
ラッピングペーパーからスクラップブックの素材、
アクセサリーのパーツから
パーティー用のデコレーションまでなんでも揃っています。
DIY大国のアメリカでよく行く
クラフト屋さんと同じぐらいの品揃えでびっくり！

Authentic Sushi!!

日本食が恋しくなり、ちか友の方からおすすめされた
お寿司屋さんに行ってみることに！
日本と変わらないクオリティの
お刺身やお寿司を食べることができて感動～

Week 1で触れた通り、
デジタルサイネージが多いクアラルンプール。
こちらは帰りによく通る建物。
ビル一面にライトアップする巨大なデジタル広告に
毎回驚いていました。

Am I in Japan??

モントキアラという
日本人が多く住むエリアのスターバックスには、
日本語のポップが！
このエリアに来ると、あれ日本にいるんだっけ？
と思わせてくれる瞬間がちょこちょこありますw
外国のスタバで日本語のポップを見ることなんて
なかなかないですよ！

WEEK 4 Solo trip to Singapore & Xmas Festivities!

シンガポールへ一人旅、街はクリスマス！

DAY		
	21	**Solo Trip to Singapore** 私はシンガポールへ！ おさるさん、ワンオペ育児頑張って！
	22	**President Obama event & visiting Google Singapore** オバマ元大統領のトークショーに参加
	23	**Getting my nails done and going home** ネイルサロンで一人女子旅を最後まで満喫。
	24	**Pudding starts winter vacation** プリンの保育園の冬休みがスタート。近くの人気中華料理屋さんYut Keeでブランチを！ プールで遊びさらに近所のプレイグラウンドでも遊ぶ！
	25	**Visiting Desa ParkCity** 人気エリア、デサ・パークシティでお散歩＆しゃぶしゃぶランチ 帰宅し、クリスマスツリーの飾り付けをする
	26	**First day with the Nanny** 初めてナニーさんに来てもらい、 家を掃除していただいた後は一緒に買い物に。
	27	**Snow in Kuala Lumpur!** 2回めのYut Keeで朝食を食べてから再びデサ・パークシティへ！ 真夏のマレーシアに雪が降る？ デサ・パークシティのクリスマスイベントに参加してみた

SOLO TRIP TO SINGAPORE

シンガポールに一人旅！

シンガポールで開催される「The Growth Faculty」というビジネスとリーダーシップのイベントがあり、今月はなんとオバマ元大統領が登壇されるとのことで、YouTubeクリエイターとしてご招待いただきました！

プリンを置いて海外に行ったことはなかったので、日本からだったら戸惑っていたと思うのですが、マレーシアからシンガポールまでは、なんと飛行機でたった1時間。「2泊ぐらいなら大丈夫だよ。行って来な！」とおさるさんが言ってくれたので、初シンガポールへ出発！ 久しぶりの一人旅で正直ワクワクしましたw（おさるさんとプリンには内緒ねw）

クアラルンプールに住んでいたら一度は行くと思うので、私が訪れたスポットをシェアさせていただきます。

19世紀の建物をそのまま生かした街並み。

ANN SIANG HILL

シンガポールに着いた日は、知り合いにおすすめいただいたAnn Siang Hill（アンシャン・ヒル）に行ってみることに。

このエリアは、元々ナツメグやクローブの農園だったのですが、1894年に謝安祥（チア・アン・シャン）というマラッカ出身のエリートビジネスマンが地主になり、中国系の住民が一気に増え、中国文化とマレー文化を融合したプラナカン・スタイルの建物が建つようになったそうです。当時は会員制クラブなどとして使われていたこれらの建物は、今はおしゃれなカフェやレストランが入っています。外観は元々のままに残し、内装だけ変えているお店が印象的！

そんなアンシャン・ヒルにある「ザ・ココナッツ・クラブ」というレストランに行きたかったのですが、日曜日は定休日（涙）。周りも閉まっているお店が多く、少し離れたところで食事をすることに。

MY AWESOME CAFE

Google Mapsを検索していたら「My Awesome Cafe」という面白そうな中華レストランがありました。着いたらカラフルな装飾とライトアップでテンション上がりまくり！

フレンドリーな店員さんからいただいたメニューを開くと全然中華ではないことに気づき、あれ？ 実は、こちらのお店、元々は病院だったのです。中国語で書かれている文字は、病院の看板をそのままにしているもの。まさに内装だけ変えて上手く外観を活かして経営されているお店です。

漢字を見て中華だと思い込んでいた私w 実際はヘルシー志向の洋食メニューでした。ちょっと勘違いしてしまったけど、面白いお店だし店員さんも優しいので結果オーライ。電球に入っている不思議なドリンクとダックのバーガーを注文してみました。

watch for more!

(#862) 久しぶりの一人旅 in シンガポール！

MEETING PRESIDENT OBAMA

シンガポール2日目は、いよいよオバマ元大統領のイベント！ トークショーが始まる前に、なんとオバマ氏との握手会に参加させていただきました！

握手会が行われる会場では、おしゃれなオードブル、ジャズバンドの演奏、撮影スポットなどが用意されていました。元大統領の講演というと、日本では堅苦しい、とてもフォーマルな場を想像するかと思いますが、完全にカクテルパーティー！ 世界中のビジネスパーソンが集まるシンガポール、エンタメ精神溢れるホスピタリティがさすがでした。

オバマ氏との握手は、数秒しかない中、今回初めて1歳の子供とパパを置いて海外移動をしました、と伝えたらオバマさんは元大統領の顔から一気にファミリーマンな表情になり、ママもたまには休まないとね！と優しく反応してくれました。その後に参加したオバマ氏のトークショーも彼のきさくさとフレンドリーさが溢れる内容でした。

詳しいトークの内容は動画#865でシェアしていますが、とても印象的だったのは、オバマ氏の「Better is good.」という言葉。ベストじゃなくてもベターになったならいい。昨日よりベターを目指して日々前に進んで行こうという考え方を共有してくれました。

VISITING GOOGLE

今回のイベントは、Googleさんからのお誘いで参加させていただき、イベント後にはシンガポールにあるGoogleのアジア本社を見学させていただきました。

素敵なオフィスに加えて、スポーツジム、ヘアカットやネイル、マッサージを社員価格で受けられる社内スパまでありました。予約の際、スケジュールはブロックされますが、内容は表示されない仕組みになっているとか。実際、自分がそこまでプライベートとワークを一緒にしたいかは置いておいて、スポーツジムのプールと同じで、入会後一度も使用しなくても、あるかないかで、入会したくなる度合いがだいぶ変わってくるのは確かですw

オフィスを案内してくださったGoogleのジョイさんにシンガポールで働いていて良かったと思うことを聞くと、世界中から集まってくる人々と仕事ができるインターナショナルな職場環境だと答えてくれました。このマルチカルチャーに伴い、まるでおしゃれなレストランのような食堂には、毎日違う国のテイストを楽しめる多国籍メニューが取り揃えられています。

翌日ジョイさんとアフタヌーンティーをすることになり、シンガポールでの働き方や暮らし方についてより詳しく聞くことができました。

ジョイさんは同じくグローバル企業で働く旦那さんと小さなお子さんが2人います。マレーシアのようにシンガポールも住み込みのナニーの文化があり、シンガポールのマンションには、ナニー部屋が用意されているものがほとんど。

ナニーさんの業務範囲は家庭によってそれぞれですが、ジョイさんのナニーさんは料理が不得意なため、ご飯の用意はしていないそうです。夫婦とも働いていて夕飯の準備とか大変じゃない？と聞いたら、どうやらジョイさんの旦那さんの職場では食堂で食べ物を買って帰れるそうなんです。平日は、毎日その日の夜ご飯を会社で買って家で食べているとか！ なんて便利！ こういう話を聞くと大手企業に入りたくなりますw

ちなみに、シンガポールのナニーさんたちは、週末大きな公園に集合して、お互いに髪の毛の編み込みをしたり、コミュニティの繋がりがかなり強いらしいです。それだけナニー文化が浸透しているんですね。

watch for more!

〔#863〕もはや住めるレベル！シンガポールのGoogle オフィスが充実しすぎて笑えてきた w

BAK KUT TEH DEBUT

夜は一人でシンガポールの有名料理「肉骨茶」、バクテーを食べに行くことに！ 友達からすすめられたSONG FA bak kut tehに行くと、賑やかな店内の手前にはバクテーを楽しみに待つお客さんの行列が。

入り口には、デジタルタイマーに待ち時間が表示されていました。20分なら待てると思い並んでみることに。店内を覗いてみると、家族でワイワイ食べている方々もいれば一人でバクテーを味わっている方も。とにかく沢山の人がいて一人でも気にならない雰囲気。Solo Tripにおすすめ！

注文は並んでいる間に店員さんが取りに来てくれます。私はバクテーと豚のチャーシューを頼んでみました。（野菜とか頼みなよ！w）

バクテーのスープは思った以上に胡椒が効いていて大人の味。お肉は何時間も煮込んでいるのでホロホロ！ 噛み付くと骨から剥がれ落ちるほどです。チャーシューは、外側がパリッとしていて中がジューシーでぺろっと食べてしまいました。
実は、マレーシアもバクテーが有名なのですが、調理方法がシンガポールのバクテーとはかなり異なるそうです。クアラルンプールに戻ったらマレーシア風のバクテーを食べてみないと！

A FEW OTHER SPOTS （その他おすすめスポット）

MANICURIOUS

女子一人旅ということで、Googleの女子たちが教えてくれたネイルサロンに行ってみました。

ワンカラーの真っ赤なネイルに仕上げていただきました。久しぶりのネイルにテンションが上がり、また大人可愛いインテリアにも癒されました♥

manicurious
HP https://www.manicurious.sg

ARABICA

ネイルサロンで出会った女性がすすめてくれたカフェに行ってみたら、店員さんが京都発祥のカフェだとおしえてくれました！ ミニマリスト風なデザインがシンプルでおしゃれ。お客さんもたくさんいてとても人気な様子！

arabica.sg
HP https://arabica.coffee

[シンガポールとマレーシアの歴史]

シンガポールはマレー半島の先端に位置します。もともとはマレー連邦の一州で、イギリスの植民地時代から中国系の華僑の割合が多い場所でした。

第二次世界大戦の後、イギリスの植民地だったシンガポールは1959年に自治領となり、1963年にマレーシア連邦の一員としてイギリスから独立します。ただ、当時のマレーシアの中央政府は、マレー系の優遇政策をとっていて、中国系の多いシンガポールとの間に対立が生まれてしまいます。

1965年半ば切り捨てられる形でシンガポールは独立し、シンガポール共和国が誕生しました。淡路島ぐらいの国土、天然資源は皆無、水さえもマレーシアに頼らなければならない状況での独立でした。

独立を発表するリー・クアンユー首相は記者会見で「マレーシアとシンガポールの統一を信じてきた。地形と経済、そして血族的な結びつきで繋がっていたのに……」と言葉につまり、シンガポールの将来を憂い、涙し会見が一時中断するほどでした。

そんな前途多難な独立からシンガポールは目覚ましい発展を遂げます。インフラを整備し、港だけではなく空港を建設しアジアの貿易の中心となりました。規制をできるだけなくし、税金を安くしたりして外国企業を誘致。

また、英語を取り入れ、2ヶ国語政策を導入したことで世界と隔たりなく意思疎通できるようになり、多くの外国企業がシンガポールに進出しました。

DAD'S SOLO PARENTING

おさるさんのワンオペ育児！

ちかがオバマ元大統領の講演を聞きにシンガポールに行きました。3日間ママなしで過ごすことになり、プリンにとってはこれまでの人生で（まだ1年ちょっとの人生だけど…）一番長くママと離れることになります。

ということは、僕にとっても最も長いワンオペ！ ドキドキしつつも実はワクワクもしていました。それは、ママといる時のプリンは「ママ〜ママ〜」とママにべったりで、ちかがトイレに行こうものならトイレの扉の前で泣き崩れるぐらいなのですが、ママがいなくなると、理解力が意外にあり「ママいないなら、パパに甘えよーっと」みたいな感じで切り替えて僕に甘えてくれるのです。

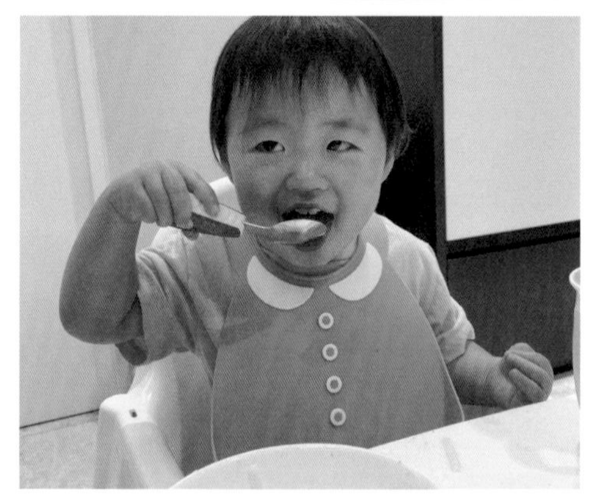

ママが出かけた後はコンドミニアムのプールで遊び、お昼寝もぐっすり寝てくれました。夕方になり夜ご飯の食材を買いに行くことに。マレーシアらしい激しいスコールが降ってしまったため、Grabでスーパーに行きました。夕ご飯のパスタをなんとか作りました。ママがいなくて寂しい気持ちもあるだろうに「パパ美味しいよー」とこの笑顔にホッとしました。

翌日、プリンを保育園に送って行き、いつものカフェで一人で朝食をとりながら仕事をしました。いつもは向かい側にちかがいるのでちょっと寂しいです（たった1日ぐらいで寂しくならないでしょ！⬅ちかツッコミ）

そしてこの日の午後はタイ式マッサージに行きました。

海外での撮影の際は、撮影機材をリュックに背負って持ち歩いています。中には、一眼レフカメラ、望遠レンズ、サブのカメラ、アクションカム、三脚に音声収録用機材、そしてパソコンが入っています。時にはそれにドローンも加わるのでかなりの重さになります。そのせいで肩がガチガチに凝っていました。お店はマレーシアのショッピングモールなどでよく見かけるタイ式マッサージチェーン「Thai Odyssey」です。

1時間で日本円で4000円ぐらいでしたので、驚異的に安いわけではありませんが、マッサージとストレッチとでガチガチに固まっていた首がかなりほぐされて気持ち良かったです。

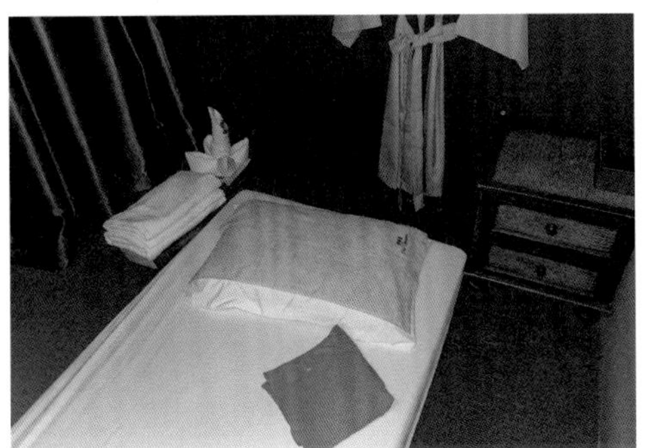

プリンの保育園の近くにあるKan teenで朝食を。マッシュルームスープが美味しい！

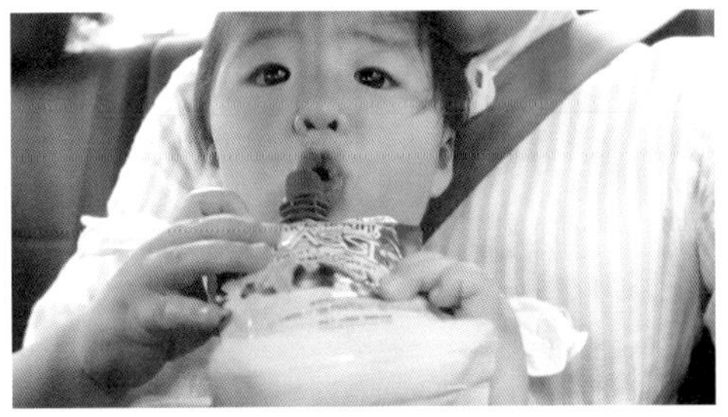

夕方、プリンを迎えに保育園に行きます。お迎えの際、その日のプリンの様子や食べた物、お昼寝の時間、おむつ替えのタイミングなどを先生が教えてくれます。もちろん……英語で。

うんちを一度もしなかった日や、お昼寝の時間が長かったり短かったりした際は、リアクションしたり質問をしたりして、頑張ってコミュニケーションを取るようにするのが、僕なりの小さな挑戦です。

また、警備員のお兄さんもフレンドリーで帰る際は、プリンとハグしたりもします。僕が荷物をたくさん持っている時などは、Grabの車まで抱っこしてきてくれたりもします。こういった人の温かみを感じられるマレーシアが大好きです。

ワンオペ最終日、英会話学校に通う申し込みをしに行きました。ここマレーシアに来てから1ヶ月近く経ちましたが、飲食店での注文やGrabの運転手さんとの会話、保育園での送り迎えの際など、日常のごく限られた場面では英語を話すことはあっても、英語でちゃんとコミュニケーションを取る機会があまりなく、このままではフィリピン・セブ島での特訓が無駄になってしまうと思い、週に数回程度、英会話学校に行くことにしました。

この日は、申し込みや詳しい説明、そしてレベルを判定するテストがありました。一番大変だったのは、それらの説明などは全て英語で行われることです。「英語ができないから英会話スクールに通うのに、そんなに英語でベラベラ説明されてもわかんないよ！」と心の中で思いながら、聞き取れた単語をもとに推測する苦しい時間が続きました。説明とテストを終えた後、カフェに入って、ホイップクリーム付きの甘いフラペチーノで脳に糖分を送ってあげました。

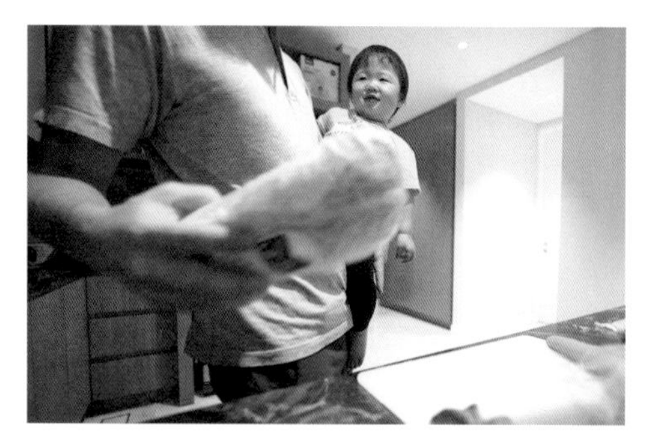

夕方、プリンを保育園に迎えに行くと、今日はママが帰ってくるからかご機嫌。ちかの到着は夜遅いので、夜ご飯は2人で食べました。野菜多めの鶏挽き肉のうどんを、時々ふざけながらも一生懸命食べてくれるプリン、3日間ママと離れて寂しかったと思うけど、よく頑張ったね！ そして、その笑顔でパパに元気とパワーを与えてくれてありがとう。あなたのおかげで、パパは乗り越えることができたよ。さあ、ママを空港に迎えに行こう！

PUDDING'S NEW NANNY

ナニー文化をちょっと体験！

今日は初めて現地のナニーに家事とプリンの世話を頼んでみることに。海外ではナニー文化がかなり浸透しており、特にマレーシアのように物価が安い国では、比較的リーズナブルな値段でお手伝いをしてもらえます。シンガポールの項（83ページ）でも書きましたが、住み込みナニーを雇われている方も少なくないです。

無事保育園にも入れたのでフルタイムのナニーは必要ないのですが、保育園の冬休みが3週間とかなり長めだったため、その間家事と育児を手伝ってもらえる方を探していました。

3週間という短期でフルタイムという条件で働ける方はなかなかいませんでしたが、ナニーを雇われている知り合いの紹介で、平日の午後なら空いているという方が見つかりました。

一度面接を経て、今日はプリンと初対面！ 1回目だったので、私たちが一緒にいる中で見ていただくことにしました。面接ではかなり控えめで大人しかったRさんですが、プリンを見たらI'm your new auntie！ と大きな声で元気に挨拶してくれました。でも、ママがいなくなると思い込んでしまい、泣き出すプリン。落ち着くまで私が抱っこ。

これはしばらく無理だなと感じたRさんは、片付けるので着替えてもいいですか？ お手洗いはどちらですか？ と確認し、着替えたら早速テーブルに置いてあったマグカップやグラスをキッチンに持って行き、洗い始めてくれました。何をどうお願いするべきか迷っていたので、積極的に取り掛かってくださってとてもありがたかったです。

Rさんがお掃除をしている姿を見てプリンも一安心。シッターさんではないのかな？……そんな時に、Rさんがプリンの大好きなホウキを奥から取り出して床をはき始めました。プリンは興味津々。そこから意思疎通したのか、一緒にお掃除をし始めました（笑）

ちりとりを持とうとするプリンを見て、Rさんは No, baby. It's dirty! と何度も言うのですが、私たちが普段からちりとりとかも自由に触らせているので全然言うことを聞かないプリンw 「実は、この子毎日ホウキでお掃除をしてくれているの」と伝えたらRさんは「そうなの?!」とびっくり。

ようやくプリンがRさんに慣れてきたので、近くのモールに行ってみることに。Week 1でシェアしたブロックの遊び場があったので、そこでプリンを見てもらい、その間、私たちはすぐ側のスタバで1時間ほど作業をしました。その後、スーパーにも同行していただいたのですが、入り口でRさんはすぐにカートを取り出し、プリンを乗せ、そのままずっと押してくれました。彼女のほうが慣れていて色々と積極的に動いてくれたので、本当に助かりました！ またお願いしたい！

DESA PARKCITY

リアル移住するならここに住むかも！

クアラルンプールの中心地から北西に車で20分ほどのところに、デサ・パークシティという住宅街があります。「環境の良いエリアで素敵な公園もあっておすすめ！」と、ちか友の方から事前にいくつも情報をいただいていました。またおさるさんが現地で仲良くなった日本人の方も住まわれていて「良い場所ですよ！」と教えていただいたので行ってみました。

オープンエアースタイルのショッピングモールもいくつかあり、綺麗に整備されていて「クアラルンプールで成功した都市開発の一つ」と言われているそうです。

The Waterfront@ParkCityというモールに「Kenny Hills Bakers」という美味しい朝食屋さんがあると聞いていたので、まずはそちらでブレックファストを食べることに！ 気温も天気もガッツリ真夏だけど、しっかりとクリスマスデコレーションがされています。12月にハワイに行った時の感覚を思い出します。

モールを通り抜けると、裏側に噂の公園を発見！ 中心地に池があり、ほとりには遊歩道や子供たちの遊べるスペースもあります。外の暑さを我慢できるぐらい雰囲気がいい場所！

マレーシアで外を散歩することはめったにありませんでしたが、ここデサ・パークシティでは、池の畔を散歩する人も多くいました。

ワンちゃんを連れて散歩をしている人を見かけるのも、デサ・パークシティの特徴です。

日本では犬の散歩はごく当たり前の日常の光景ですが、マレーシアでワンちゃんを散歩している光景は、ここデサ・パークシティ以外ではほとんど見かけませんでした。それは暑いからではなく、イスラム教では犬が不浄な生き物とされているからなんです。調べてみると豚ほどではないようですが、それでも犬を積極的に飼ったりはしないようです。

しかし、このデサ・パークシティには、公園内にふんを始末するビニール袋が設置されていたり、モールの中にはグルーミングショップもあったり、コンドミニアムもワンちゃんOKなところがあるなど、かなりワンちゃんフレンドリーなので、中国系の方や日本人や欧米の方などワンちゃんを飼われている方に人気とのことです。

TheWaterfrontから歩いて5分ほどの場所にPlaza Arkadiaというショッピング・コンプレックスがありました。モールというよりも小さな街のような作りで、中心には噴水が地面から飛び出る広場があり、こちらでもプリンが楽しく遊べました。

この小さな街を散策すると、日本のしゃぶしゃぶ屋さんや、素敵なカフェやパン屋さんなども揃っています。KLの中心からは距離がありますが、なんでも揃っていて、とても暮らしやすそう！

もしマレーシアに本格的に居住をするなら、このエリアが良いな〜と率直に思いました。

SNOWING IN KL?! クアラルンプールで雪が降る?!

数日前に初めて訪れたデサ・パークシティで様々なクリスマスのイベントが企画されていることを知りました。週末は、なんとこの暑い中に雪を降らせるとか！

当日会場を訪れてみると、多くのファミリーがクリスマスツリーの前でワクワクしながら雪を待っています。あ！ なんか降ってきた！ 人工の雪かと思いきや、降ってきたのは……「泡」?! しかも大量に!!

子供たちは噴き出される泡の雪を大喜びで浴びに行きます。プリンも他の子供たち同様、泡だらけになって喜んでいます！ 頭に積もった泡でシャンプーをしているかのような状態（笑）。泡が出ている時間は5〜10分ほどでしたが、陽気で楽しくこれまでに味わったことのないクリスマスとなりました。

Whimsical Gelateria
FF-17, The Waterfront
+60 3-6270 0966
whimsicalgelato

想像以上に楽しかったので、夜にも行われる泡の噴射も体験しようということになり、デサ・パークシティのレストランで早めの夕食をとり、再び泡のイベントに参加しました。

昼間とは雰囲気も異なりまたまた興奮。私もプリンも、そしておさるさんも泡まみれになって、南国のクリスマスを楽しみ、良い思い出となりました。

イベント後は、泡でびしょびしょになっていたのにも関わらず施設内で見つけた「Whimsical」という可愛いアイスクリーム屋さんでデザートを食べることに。これもまた南国ならではのクリスマスの過ごし方ですよね。

DAILY SNAPS

暑くてなかなか公園などで遊べないマレーシア。
毎日プールで疲れさせるしかない！

Malaysian style Shabu-Shabu!

デサ・パークシティのPlaza Arkadiaに美味しい
しゃぶしゃぶ屋さんがあると聞いたので行ってみました！
少し高いですが、和牛も食べられて最高☆
具材が現地のテイストに少しアジャストされていて
それもまた面白い！ 現地の方は辛いものが好きなので、
辛いソースをガンガン入れてスープが真っ赤に
なってました！

Family Xmas photo!

Suria KLCCでサンタさんと
ファミリーフォト☆
去年はシアトルで撮ったので、
今後色んな国でサンタさんと撮るのも
楽しいかも！

A Spicy UFO?

Desa ParkCityのThe Barnというレストランで食事！
アジアンからアメリカンまで豊富なメニュー。
私が頼んだのは、The Mamak Special！
まるで目玉焼きをトッピングしたUFOの焼きそばw
でも、ピリ辛で、食べれば食べるほどハマる味！
辛いものが苦手な私でもペロっと食べてしまいました！
（そして何度か戻ってリピートしましたw）
奥に見えるのは、おさるさんのステーキw

Indoor sandbox!

砂場も室内w うちの近くにある
モールにあった室内遊び場。
砂は、コーティングされた木材を細かく
砕いたような素材。汚れなくていいのですが、
型に入れても固まらない

New breakfast spot!

複数のGrabの運転手さんに
すすめられた、うちの近くにある
中華系レストラン「Yut Kee」。
外には沢山の人が並んでいて、
朝から元気になる賑やかさと店員のお
兄さんたちの明るさがとてもいい！
朝から結構ガッツリだけど
他のメニューも食べてみたくなる
美味しさ！

WEEK 5

Visiting Kota Kinabalu!

マレーシアの人気リゾート地へ！

DAY 28

First hair appointment

日本人経営のヘアサロンでKL初のカット＆カラー！
中国系家族と冬至を祝う食事にお呼ばれ

29

Holiday in Kota Kinabalu

クリスマスバケーションでコタキナバルへ！

30

31

32

33

34

Awesome findings!

家の近くにロサンゼルスにありそうなおしゃれカフェ発見！
バンサーで子供天国なプレイグラウンドも発見！

冬至で中国文化を体験！

皆で願い事を言いながら箸で料理を混ぜ合う変わった風習。

日本にいるおさるさんの知り合いから、マレーシアのお友達をご紹介いただきました。呉さんといって、50年前に日本に行って以来、マレーシアと日本とでビジネスを幅広く展開されている中国系のマレーシア人の方です。

日本語もペラペラで、何か困ったことなどあったら連絡してきなさいと言ってくださいました。そんな呉さんから「冬至に家族みんなで食事をするから、良かったら一緒にどうですか？ 中国の文化では、冬至は旧正月と同じぐらい大切な行事で、家族や親戚で集まり食事をしながらお祝いをするので」と、お誘いいただきました。

マレーシアの中国系文化に触れられる貴重な機会だと思いご一緒させていただきました。会場のレストランは、広い宴会場でたくさんの円卓が並び、華やかな装飾が施されていて、大勢の家族が冬至の食事を楽しんでいました。最初に、大きなお皿に冷やし中華のように色とりどりの盛り付けがされた物が運ばれてきました。「魚生」（イーサン/Yee Sang）という料理で、もともとは中国南部の食べ物だったようですが、現在ではマレーシアとシンガポールの中国系の間で食されるメニューで、冬至だけでなく旧正月にも食べられるお祝い料理です。

食べ方が独特で、テーブルの中央に置かれたイーサンを皆が箸で持ち上げるようにして混ぜます。その時に、自分の願い事や抱負を声に出して宣言するのです。私たちは初めてでしたが、皆さんに倣（なら）ってお箸で混ぜました。その後もたくさんの料理が運ばれてきて、賑やかに冬至をお祝いしました。

プリンの他にも、ちょっと上のお姉ちゃんやお兄ちゃんたちがいてたくさん遊んでくれました。子供って言葉を喋れなくても通じなくても、なんとかコミュニケーションを取って楽しく遊べちゃうんですよね。まあ、走り回るだけで楽しめるという武器を持ってますからねw

一方、大人たちは会話がないとなかなか楽しめませんよねw 呉さんと呉さんのご家族は、お互いに広東語で会話をしているのですが、私と話す時は英語になります。また呉さんは流暢な日本語を話すので、おさるさんと話す時は日本語になります。

マレーシア育ちの皆さんは、マレー語も話せるので、当たり前のようににマルチリンガルです。子供たちの語学教育の話になった時は、マレー語と英語は自然に身につくから、広東語を頑張って勉強させないと……と話していました。そして「英語に加えて広東語が話せれば、世界のどこででもやっていけるから」と。確かに。

実は、呉さんの娘さん夫婦とはこの冬至の食事会の前にも一度食事をしたことがあったのですが、彼女はアニメのプロデュースやグッズなどの制作なども手掛けていて、何か一緒にできることがあるかもし

プリンはお兄ちゃんお姉ちゃんたちに遊んでもらいました。

れない、と呉さんが紹介してくれました。

私は、お互いクリエイティブな仕事をしているからお話ししたら楽しいかも～ぐらいの感覚で参加したのですが、彼女は「で、一緒に何する？」ぐらいの勢いでした（笑）。制作中のグッズも色々と見せていただき、できることのアピールの仕方も速さも日本とは全然違うと実感。中国系の方々のビジネスに対する熱意のようなものを肌で感じました。

でも、すごいのが、それが全くいやらしい感じにならないこと。単純に自分ができることをシェアして、何かお互いにwin-winなことがあればすぐにでもやろうよ！というサバサバとしたスタンス。やりたいことが特にないのであれば、それはそれでよし！

気まずくなることもなく、仕事のお話以外にも友達感覚で子育てについてもフランクにお話しできました。中国系の方だということもあったと思いますが、雰囲気的にはシアトルに住む大親友のローエンにすごく似ていて、むしろ私が大好きなタイプの女性でした。

マレーシアにいながらも中国文化を吸収し、中国系マレーシア人の方々の暮らし方、働き方、暮らし方も知ることができるとてもいい機会でした。

出会ったばかりの私たちを貴重な家族とのお祝い事に温かく迎え入れてくれるなんて、マレーシアのフレンドリーさをまたまた感じました。

冬至の食事会に招待してくれた呉さん。

Gallery

プールサイドから見える夜のペトロナス・ツインタワーが素敵すぎる

76STYLE LOT 10

日本と変わらないヘアサロン

髪の毛のプリン状態がそろそろ酷くなってきたので、現地で仲良くなったちか友の方に日本人が経営するサロンを紹介してもらいました。

76STYLEというサロンで、プリンの保育園があるモントキアラと、中心繁華街のブキッ・ビンタンにあるLOT 10という商業施設の中、2つの店舗を経営されています。スケジュールの都合上、普段はあまり行かないLOT 10にあるお店に行くことに。

実はこちらの商業施設には2016年に日本文化をクアラルンプールに広めるという目的で三越伊勢丹グループが建てたISETAN The Japan Storeというデパートがあります。噂は聞いていたのですが、まだ訪れてはいなかったので「ここにあるのか！」と思いながらISETANのすぐ隣にある階段を上がって76STYLEに入りました。(ISETANについてはWeek 6で)

担当してくださったのはシニア・スタイル・ディレクターのSakiさん。彼女の綺麗なアッシュブロンドの髪色を見て一瞬で信頼度アップ！w

Sakiさんは、7年前にクアラルンプールに移住されたらしく、現地に来てからスタイリストのお仕事を探したとか。特にマレーシアに行きたい！という訳

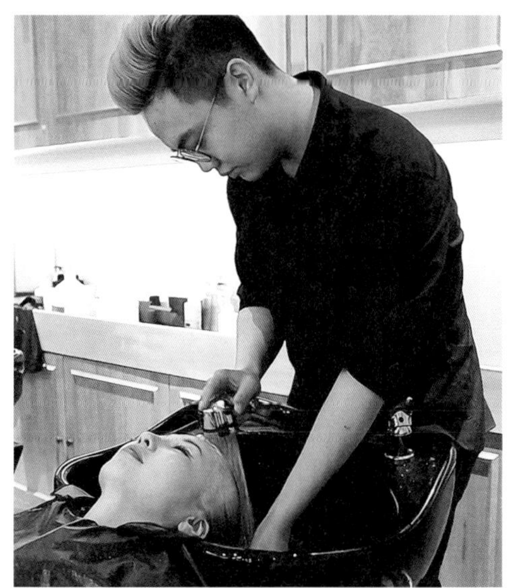
つい寝てしまったほど気持ちのいいシャンプー。

ではなかったらしいのですが、とにかく海外で働きたくて、クアラルンプールに行き着いたとか。でも、結果ものすごくいい決断だったとお話ししてくれました。

日本人スタイリストを募集されていたこちらのサロンを見つけて、ずっと働いているそうです。多くのスタイリストさんは日本人ですが、アシスタントの方々は現地の方が多く、一見日本のサロンと変わらない雰囲気ながら、やはり働く環境やカルチャーは違う感じがしました。

こうやって海外でスタイリストとして働くことで何か難しいことはありますか？と聞くと、難しいというより、日本のサロンで働きたいと思っている人はそもそも意識が高く、美容学校にもしっかり通われている人たちなので、みんな頑張り屋さんだとお話ししてくれました。「美容学校に通う」って当たり前でしょ！と思うかもしれませんが、マレーシアでは美容免許というものがないのです。誰でも美容師になれちゃいます。だからわざわざ専門学校に通うということは、目指しているところがかなり高い証拠。

私も実際、現地のアシスタントの方にシャンプーをしていただいたのですが、とっても気持ちが良くて寝てしまいました。力加減がバッチリで、さすが日本のスタイリストに指導されているんだなと感じるクオリティ（アメリカはシャンプーの気持ち良さとかにそこまで力を入れないのでw）。

マレーシアでキャリアを積む上でのワークライフバランスについて聞いてみると、マレーシア人は家族第一なので、お母さんのお誕生日には花束を準備して早めに帰れるようにするなど、日本では考えられないけど、そういうところが凄く素敵だなと感じると教えてくれました。

私は日本のコンサルティング会社で働いていた時に、入社数ヶ月目で当時一緒に住んでいた祖母の誕生日に、「今日はおばあちゃんの誕生日なので帰ります」と定時に帰ったら、それを先輩にしばらくネタにされたことがありました。定時だったのでダメとは言えないものの、残業が当たり前だった環境では考えにくい優先順位だったんでしょうね。

国による当たり前の違いって面白いですよね。それによって日々の生活、長い目で見ると人生が変わりますもんね。少し話がそれましたが、このように考え方や視点が違う仲間とお仕事をすることによって、みんなから学ぶことがたくさんあって、本当にクアラルンプールに来てよかったと、Sakiさんは思い深くお話ししてくれました。

X'MAS IN KOTA KINABALU

南国で迎えるクリスマス！

クリスマスは、クアラルンプールから飛行機で2時間半ほどのところにある、ボルネオ島のサバ州で過ごすことに。

ボルネオ島は、日本の国土の約2倍ほどの広さで、ひとつの島なのにマレーシア、インドネシア、そしてブルネイの3ヶ国で成り立っています。

マレーシア北西部のアンダマン海にあるランカウィという島もおすすめと聞いていたので、どっちにするか迷ったのですが、バンサーのブティックで仲良くなった店員さんがボルネオ島のサバ州を大絶賛していたので、ローカルがそこまで気に入っているスポットに行ってみたいと思って決めました。

私たちが訪れたのはボルネオ島の北部にあるサバ州の州都コタキナバル。オランウータンやテングザルなどが生息する豊かな自然と美しい海で世界的にも人気のリゾート地です。

クアラルンプールからの2時間半（シンガポールには50分で着くのに！）、しかも日中のフライト、プリンが騒いだりしないかドキドキでした。でも、上手くお昼寝の時間を調整したので、機内で寝てくれたし、起きても良い子にしていてくれて一安心。

IN-FLIGHT ENTERTAINMENT

今回利用したのは、マレーシアに本拠地を置くLCCのAirAsiaでした。独創的なサービスとアジアを網羅するネットワークで、ファンの方も多いかと思います。

おさるさんもフィリピンでの移動などの際には利用しています。そんなAirAsiaでコタキナバルに向かう機内で、日本の航空会社では考えられないサービス？サプライズ？に遭遇しました。

男性キャビンアテンダントが機内アナウンスをひと通り終えた後、搭乗客の中に結婚したばかりの新婚夫婦がいるということで、その男性キャビンアテンダントが歌のプレゼントをしたのです。そして機内のお客さんみんなでその新婚夫婦を祝福しました。

こういう心温まるサービスやそれを実行するノリはハッピーになるので私は好きです。さらに驚いたのは、そのキャビンアテンダントの方が「いいカメラだね！」と話しかけてきて、「ちょっと貸して。あなたたちを撮ってあげるよ」と言って機内で私たちのことを撮ってくれました（写真下）。

そして、歌の披露の後に機内販売が始まるのですが、案内がとてもユーモラスで「歌は無料だけど、これから機内販売でお金とるからね」と言って、楽しくグッズを紹介してくれました。ユーモアがあるとビジネスもいやらしくなく、エンターテインメントになりますよね。

結婚式直後の乗客のためにキャビンアテンダントがサプライズで歌のプレゼント。

キャビンアテンダントの方が撮ってくれた一枚。こういうサービスは嬉しいですね。

ARRIVING IN KOTA KINABALU

そして到着したコタキナバル。今回滞在するのは「シャングリ・ラ ラサリアリゾート」。ボルネオ島にはシャングリラ・リゾートが2つあり、一つは空港から10分ほどのところにあるリゾート。街の中心にも近く便利で良いと思ったのですが、あいにく人気シーズンで満室でした。

もう一つのリゾートは、空港から車で45分ほどの場所にあり、車嫌いなプリンを乗せて空港からさらにドライブになるのはちょっと気が引けましたが、結果的にこっちになって良かったです！

空港から45分、どこに行くにも車が必要になってくるエリアに滞在するということで、今回初めてマレーシアでレンタカーを借りました。運転好きのおさるさんですが、クアラルンプールはGrabが便利すぎて車を借りる必要がないため、マレーシアでは初運転！ レンタカーの手配もおさるさんがやってくれました。しかも、オンラインでの予約ができなかったので、直接電話で予約！

空港に着き、レンタカーのカウンターで予約している旨を伝え、さらにチャイルドシートのオプションまでもちゃんとお願いしてました。時間が掛かってるな～大丈夫かな？と少し離れて待っていた私。状況を聞くと、チャイルドシートの空きがないようです。スタッフの方が隣のレンタカー会社の担当の方と話をして、その会社の物を貸してもらうことに。チャイルドシートだけ現金払いでしたがw

何とか借りれたので結果オーライ。

借りたのは、プロドゥア（Perodua）というマレーシアの自動車メーカーのベザ（Bezza）というセダン。

（文・おさるさん）渋滞中の本線に側道から合流する際、本線を走る車同士の車間間隔がかなり狭く、ぴったりくっつくような状態のため、どう入ればいいのか戸惑いました。意を決してやや強引に合流すると、思いのほかすんなり入れてくれるのです。合流させないように車間距離を詰めているのではなく、そもそもの距離感が近いんだと思いました。

SHANGRI-LA'S RASA RIA RESORT & SPA

敷地面積400エーカー。東京ドーム35個分の広さを誇り、ゴルフコース、プライベートビーチ、そして自然保護区のジャングルまであるリゾートです。リゾートの入り口からゴルフ場とジャングル感溢れる森を抜けると、ホテルの建物が現れます。

オーシャンウィングとガーデンウィングの2棟に分かれていて、私たちはオーシャンウィングに滞在しました。到着した時は日が落ちて既に暗くなっていたのですが、開放的なロビーで明日からが楽しみになりました。お部屋まで案内してくれたスタッフの方は日本人でした。しかもお話をしている中で「ちか友」だったことが判明し嬉しかったです。

綺麗で広々としたお部屋、そしてテラスにジャグジーが付いていて、想像以上に贅沢！ 目覚めた時の景色にワクワクしながら、その夜は、リゾート内のビュッフェに食べにいきました。オープンエアーダイニングで、南国の夜風を感じながら種類豊富なアジアンビュッフェを楽しめました。

マレーシアのビュッフェでは必ずフィッシュ・スープを好きなお野菜や麺類でカスタマイズできるブースがあります。ここは葉菜類が多くて、何を入れるか迷います！ フィッシュ・スープというと魚介くさいものを想像するかもしれませんが、本当に上品で美味しいんです。プリンも大好きで、野菜もとれるし、あると本当に助かる！

ホテル内のバーラウンジではライブ演奏が行われていました。クリスマスソングや人気のポップソングがジャズアレンジで歌われていました。生演奏と生の歌を目の前で聴くのはプリンにとって初めての体験で、興味津々のプリンはステージの目の前まで行き、歌う女性のことをじーっと見つめます。はじめて空気の振動を体感して聴く音楽に、プリンの脳が新たな刺激を受けているようでした。ノリのいい曲が流れると、プリンは得意のダンスを披露w

踊りって本当に幸せな気持ちにさせてくれますよね。踊ることも、踊りを見ることも。これからもずっとどこにいても恥ずかしがらず踊れる子でいてほしいな、と心から思いました。バンドは休憩に入り、私たちもそろそろお部屋に戻って寝る時間。「楽しかった！」と伝えるかのように、歌手の方にハグをして、バンドの方々に手を振って、ルンルン気分で帰ったプリンでした。

ホテルのバイキングにはお気に入りのフィッシュ・スープと野菜がいっぱい！

POOL TIME!

滞在中はとにかくプール！ プール三昧でした。このシャングリラ・ホテルが良かった大きな要因はプールです！ 敷地内には2つのプールエリアがあり、ガーデンウィングの方にはウォータースライドなど子供たちが喜ぶようなアクティブなエリアがあります。私たちが滞在したオーシャンウィングのプールは遊具などはなかったのですが、ビーチのように少しずつ深くなっていくタイプのプールでした。

まだ2歳前の幼いプリンにとっては、穏やかなプールのほうが自分で立つこともできるし、浅いところで泳ぎの真似をしたりして楽しく遊ぶことができ、かなり気に入ったようで、滞在中はプール三昧でした。

なお、プールの奥にはプライベートビーチが広がっているので、海に入りたくなったり砂遊びなどがしたくなったりすれば、すぐに行くことができます。また、その他のマリンスポーツやジャングルの自然を活かしたアクティビティなどもあるようでしたが、多くが4歳から参加できるようだったので、プリンがまた大きくなったら戻って来たいと思いました。2016年までは敷地内の自然保護区でオランウータンを見学できていたようですが、現在は行っていないとのことでした。

ホテルのプールは快適そのもの。プール三昧の日々でしたw

そんなコタキナバルはのんびりとバカンスを過ごしたい欧米の方々にとっても人気で、多くの欧米の方々がいらっしゃいました。シャングリ・ラ ラサリア リゾートで日本ではまず見かけない光景を目にしました。それは子供連れの欧米の方がベビーシッターやお手伝いさんと一緒にバカンスをしているということです。

クアラルンプールのコンドミニアムにも、お手伝いさん用の部屋が備わっている物件が普通にあるように、住み込みでお手伝いさんやシッターさんを雇っている家が多くあるので、バカンスにも同行するケースがあるようです。実際に私のアメリカの友人も、シッターさんと一緒に旅行に行くと言っていました。なるほど、こういうことなんだなーと思いました。

ちなみに、欧米の方のプールサイドでの過ごし方について、おさるさんがこんなことを言ってました。「欧米の方って、プールサイドで絶対に読書するよね！」確かにそうですよね。プールやビーチって、水に入るというよりは、水着で読書をする場所という感覚なのかもw 要は焼きたいんですよね。焼いている=バケーションに行っている、贅沢をしている証拠！ 私も小学生ぐらいの時から家族でハワイに行くと、ビーチでよく読書していましたw

CHRISTMAS CELEBRATION!

クリスマス・イヴの夜は、ホテルのイタリアンレストランで食事をすることに。クリスマス限定のコースだったのですが、満席で忙しかったのもあり一つ一つの料理が運ばれてくる間隔が長すぎてプリンがグズグズ。

店員さんに残りの料理を持ち帰り用にしてくれないかとお願いしたら、「お部屋にお持ちします」と、残りの品を綺麗に並べて運んできてくれました。最初はお料理が遅くて正直少しイライラしていましたが、その後のフォローが丁寧、かつ柔軟でクリスマスディナーを最後までエンジョイすることができました。

25日の朝は、プリンにクリスマスプレゼントを渡しました。プールやビーチで遊べるように砂遊びセット！ 包み紙を開ける時のワクワク、そしておもちゃがもらえた喜びは、この歳でも既に持っていることに驚きました。

そんなサンタさんからもらったおもちゃでちょっとしたハプニングが。プリンと遊ぼうと思い、おさるさんがじょうごの先端から覗いていたら、プリンがじょうごを叩いてしまい、おさるさんの眼球に直接当たってしまいました。

おさるさんの目が真っ赤になり、痛みがなかなか治らず少し心配な状態。幸いなことに、ホテル内に小さなクリニックがあったので診てもらうことにしました。おさるさんが頑張って英語で状況や症状を伝えました。外傷は見あたらないということで一安心。痛みは数日間続くかもしれないとのことでしたが、診てもらうことによってお互いだいぶほっとしました。旅先での怪我は初体験ですが、周りに何もないリゾート地に滞在する際は、このようなクリニックがあるかは意外と大事かも！

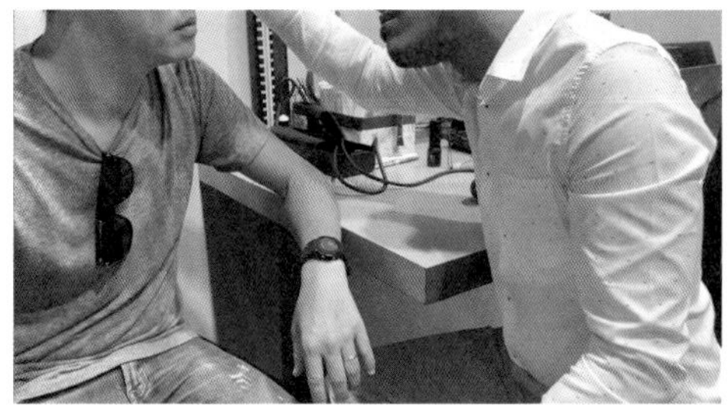
あまりの眼の痛みに、ホテル内にあるクリニックで急いで受診。

A MEMORABLE LAST DINNER

せっかく海が近くにあるのだから海鮮ものを食べようと、初めてホテルの外で食事をすることにしました。ホテルの方のおすすめで車で15分ほどのところにある海鮮レストランに行きました。海沿いにある「OUR LAND 大地」というお店です。

お店に入ると、今流行りの倉庫をお店にしたような空間。広々としたスペースにいくつかの円卓があり、それぞれデザインがバラバラな椅子が置かれています。クリスマスライトのように吊り下がっている沢山の電球がいい雰囲気を作っています。インテリアは賑やかなのですが、お客さんは一人もいません。評価は高かったはずなのに……大丈夫かな？ と心配していると、店員さんがこちらへどうぞと案内してくれました。

連れて行かれたのは、建物の外。ちょっとした橋を渡ると、そこには海の上に浮いているような素敵なダイニングエリア。たくさんの人で賑わっていて、みんな楽しそうに食事をしています。良かった〜とホッとして席に着くと、店員さんがまたこちらへと案内してくれます。

そこには船を象(かたど)ったエリアに生簀(いけす)があり、そこに種類別にたくさんの魚介類が泳いでいます。このレストランは、魚介類と調理方法を自分で選ぶお店で、店員さんが種類やおすすめの調理方法を教えてくれます。

コタキナバルにはいくつかこのようなスタイルのレストランがあるようで、クアラルンプールで知り合った方からもすすめられていました。たくさんの新鮮な魚介類を前にどれにして良いか悩みますが、おすすめなどを店員さんが教えてくれます。そして私たちは、私の大好物の生牡蠣(がき)、ブラックタイガーをバターソテーで、そしておすすめされたローカルフィッシュ（スズキに似た白身魚のたぶんバラマンディ。メルボルンでも食べて美味しかった）を選びました。

すべて味付けが絶品で感動！ 特にブラックタイガーのバターソテーはクリーミーでなんとも言えない風味があって、本当に美味しかったです。最後のディナーにぴったりなお店となりました！

DAILY SNAPS

Hello Orangutang!

コタキナバルを帰る日にLok Kawi Wildlife Parkに立ち寄りました！ 時間がなくてボルネオ島ならではの「long-nosed monkey」には会えず残念でしたが、プリンはオランウータンさんに会えただけで大満足の様子でした！

Bar Ippudo!

「バンサーショッピングセンターのエントランスの横におしゃれなお店があるよ～」とおさるさんと話していたら、なんと一風堂でした！
Bar IPPUDO、ラーメンバーを展開されていました！

Spicy Oden!

ファミマがありました！
そして、なんとおでんが激辛になってる🔥

Having fun at the bookstore!

バンサーショッピングセンターの
本屋さんの子供セクションが充実しすぎて迷う！
本だけではなくて、
文房具やちょっとしたおもちゃもあって
見ててとても楽しい💕
シールが大好きなプリンに
シールブックを買いました😊

Livita?!

リポビタンDがリビタになってる！
海外に行くと日本の商品名が変わってたりして面白いですよね。
リポビタンって英語にしたら文字数が多いから変えたのかな🤔

今日はサングラスを掛けてお出かけ！
暑い南国ではお子さんのサングラスも
必須アイテム☆

WEEK 6 A birthday and countdown to remember!

思い出の誕生日とカウントダウン！

DAY 35

An unexpected reunion

前職の同期がクアラルンプールに遊びに来るとのことで、数年ぶりに再会！

36

Year-end work

年越し前にちょっと作業！ 近くのモールの屋内プレイグラウンドでナニーさんにプリンと遊んでもらい、私たちは近くのカフェでお仕事。

37

A birthday to remember!

大晦日…ということはMy Birthday! 様々なサプライズと目の前で打ち上がる花火に感動！

38

A thrilling start to the New Year!

マレーシア最大規模の室内遊園地で元日から思いっきり遊ぶ！

39

Visiting the first Starbucks Signing store

お雑煮でお正月を味わいつつ、ランチはインド料理、
そして世界一"静か"なスタバへ

40

Seeing a dermatologist

腕と背中に蚊に刺されたような跡が。痒みが悪化したので、
デサ・パークシティの皮膚科で見てもらうことに。

41

Lunch with a new local friend

Yut Keeで出会ったマレーシア人のちか友のリンさんファミリーとランチ。

JUNGLE GYM

乳幼児に最高な室内プレイグラウンド！

12月末ですが、マレーシアは年中真夏。毎日とにかく暑いので、プリンを遊ばせる室内プレイグラウンドを常に探しています。滞在しているコンドミニアムからは少し距離があるけれど、お気に入りのバンサーショッピングセンターにJungle Gymという室内の遊び場があることを知り、行ってみました。

入り口は大きなバルーンデコレーションで早速楽しそうな雰囲気。リストバンドをもらったら機械でスキャンをして入ります。Week 1に行ったプレイグラウンドと同様、靴は脱ぎますが、靴下は衛生上履いたまま遊びます。

浮き輪を使った巨大滑り台、大きなブロックでお家を作ったりできるエリア、ボールプール、2階から1階にいるお友達を狙ってスポンジボールをシューティングできる基地のようなスペースなど、とにかく大きくてびっくり！ 永遠に遊んでいられそうな場所です。

しかも、このプレイグラウンドにはカフェが併設していて、ここもまた広い！ プリンがパパと遊んでいる間、私はカフェで作業をしていました。これからお世話になりそうなスポット！

THE IT MALL 電気製品が揃うITモール

クアラルンプールに来てから1ヶ月ほど経ち、映像もかなり溜まってきました。持ってきた外付けハードディスクもそろそろ容量がなくなります。でも、考えてみると外付けハードディスクが売ってそうなお店をあまり見かけない……どこに売っているんだろう??

これまで行ったモールの中にいくつかありそうなお店があったので行ってみると、携帯や携帯のアクセサリーばかりでパソコン周辺機器はありません。

紀伊國屋書店で出会ってから連絡を取り合っていKhoさんに聞いてみると、「Low Yatにあるよ」と教えてくれました（持つべきものはちか友！）。

Plaza Low Yatは、マレーシアで最も大きいITモール。7階にわたって様々な家電ショップがあります。日本では、ビックカメラやヤマダデンキなど大型家電量販店が多いですが、ここはたくさんのIT関連のショップが一つのモールに集まっています。なんでもモールにしちゃう、マレーシアらしさを感じました。

外国の人からするとビックカメラなどの日本の大型家電量販店もかなり迫力があると思いますが（実際私のアメリカからの友達も物の多さ、そして照明の明るさwにびっくりしていました）、家電しか置いていないショッピングモールもなかなか印象的です。

外付けハードディスクも無事購入できて、容量オーバーの心配もなくなりました！

BIRTHDAY SURPRISE!

誕生日に素敵なサプライズ

KLCCの年末のカウントダウン花火はすごいと聞いていたので、近くで見てみたい！ でも、小さな子供を連れて真夜中に人混みから見るのはちょっとキツそう……と思い、現地で知り合った方に教えていただいた絶景スポット「Traders Hotel」を予約することにしました。12月31日は、私の誕生日ということもあってちょっと奮発！

誕生日ということで当日は、おさるさんがホテルのスパでマッサージを予約してくれていました。メールで頑張ってやり取りをしたみたいです（感動！）。ということで、マミーと離れたくなくて大泣きするプリンとパパを置いて （プリン、ごめん！）me timeを満喫させていただきました！

スパが終わり、おさるさんとプリンと合流する前に、ペトロナス・ツインタワーが綺麗に見えるプールラウンジでひと休みをしようと思ったら、なんとおさるさんとプリンはもうホテルに着いていました。me time、もう終了?！w いやいや、十分でした！

食事は、おさるさんがKLタワーの麓にあるおしゃれなイタリアンを予約してくれていました。お店の雰囲気の確認も兼ねて、プリンと二人で下見に行ってたとか！ 嬉しすぎました（涙）

小さい子供がいるとなかなか落ち着いたfine diningレストランに行くのは難しいですよね。最近このような外食を全然していなかったので、ものすごく特別に感じました。そして、クアラルンプールのグルメにおける選択肢の幅広さにまたまた感動！

最後にデザートを頼んだのですが、後から聞くと、本当はデザートプレートも予約していたとか。証拠映像もありましたw きちんと伝わっていたはずですが、忘れられちゃったのか、結局来ませんでしたw そして来なかったことをお店の方に言い出せなかったおさるさん。次のステージはクレーム対応！

食事が終わり、ホテルに戻って部屋に入ると、なんと!! ベッドにHAPPY BIRTHDAYのバルーンとバラの花束が飾られています。サプライズ企画は、プロポーズ以来かな?! なので、本当に本当にびっくりしました。そして、どうやっておさるさんがこれを手配したのか！

watch for more!

〔＃860〕感動夫が海外で誕生日にサプライズを英語で手配！

これもメールでやり取りをしたみたいなのですが、海外でのやり取りはいつも私が対応していたので、かなりの勇気が必要だったかと思います。

プリンに踊り付きのハッピーバースデーを歌ってもらい、プレゼントまでもらってしまいました！ マレーシアの国旗のように月と星のモチーフがついている少し変わったデザインのピアスですが、着けてみるととってもいい感じ！ お気に入りになりそう！

こんなにも次から次へとプレゼントやサプライズがある誕生日は初めてかも！ しかも、最後の〆は、素晴らしい夜景を背景にした花火！ これがもうすごくすごくて！ 日本ではNGが出そうな距離で目の前でバンバンと花火が打ち上げられます。KLCC Parkは人でいっぱい。みんなでワイワイと集まる楽しさもありますが、ホテルからゆっくりと見る花火は本当に贅沢。しかし、プリンさんは夢の世界。

なんとプリンからプレゼントが!!

プリンにも見てほしいと思い、起こしてみたのですが、一瞬目を開けてすぐまた寝てしまいました。外でこれだけの音と光が飛び散っていて、逆に寝られてしまうのが不思議ですがw

本当に贅沢な一日でした。花火は自分の誕生日が終わったことを祝っているので、少し複雑な気持ちですがw 思う存分楽しめました。楽しすぎて、その夜は、床で寝てしまうというw

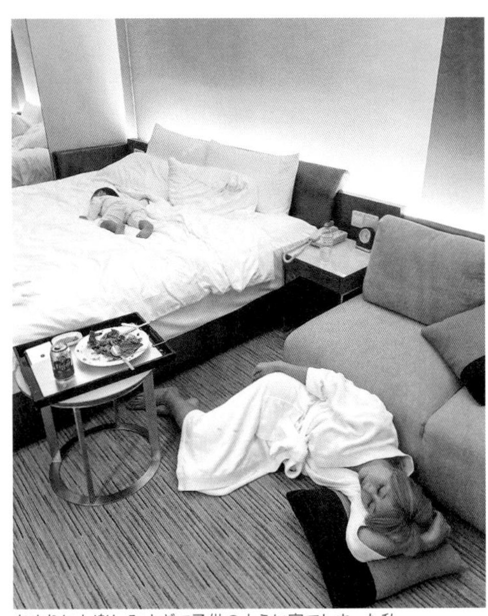
あまりにも楽しみすぎて子供のように寝てしまった私。

OSK

BERJAYA TIMES SQUARE THEME PARK マレーシア最大級の室内遊園地！

元旦はKLCCの絶景で目覚め、新年を晴れ晴れしくスタート！ せっかくなので早く準備をしてKLCC Parkでお散歩をすることに。太陽はまだペトロナス・ツインタワーの裏に隠れていたので、遊具でも少し遊べました。そして、早朝から意識高くジョギングをしている方がすごく多くて（中にはベビーカーを押しながらしっかりとランニングウェアで歩く夫婦も）、新年をさらに感じることができました。私たちはそこまで意識が高くないので、プリンを少し遊ばせて飲茶を食べに行きました（笑）

元旦にプリンとKLCC Parkをお散歩。年が変わってもすることは同じw

そして、新年だからと言って何が変わるわけでもないので、今日もプリンとどう遊んで過ごすかw

前から気になっていた室内遊園地「Berjaya Times Square Theme Park」に行ってみることに！ この遊園地は、「Malaysia Book of Records」にも認定されていて、マレーシアで最大規模の屋内遊園地。クアラルンプールの中心地にあるBerjaya Times Squareという大きなモールの5階と7階にあり、東京ドームの4分の1ぐらいの大きさ。モールの中にあるとは思えない規模です。

プチマレーシア情報

Malaysia Book of Records

THE MALAYSIA BOOK of RECORDS®

ウェブサイトなどでたまに目にするこのロゴ。Malaysia Book of Recordsは、1998年に初めて書籍化したプロジェクト。設立者のDanny Ooi氏は、ギネスブックへの掲載を目指してすごいチャレンジをする人々のためにマレーシア独自の記録本を始めることに。最初の3年は赤字垂れ流し状態で、周りには「こんなの無理だよ」と足を引っ張る方も多かったとか。

今は、4000件の記録があり、年に一度本が刊行されています。変わった記録もたくさんあり、バカにする人もいるみたいですが、Mr.Ooi氏の想いとしては、別に笑われてもいい、どんな記録であろうが、たくさんの努力とチームワークが必要になる。記録そのものより記録を残すための過程が大事！

Selamat Datang
Times SQUARE
THEME PARK
BERJAYA TIMES SQUARE THEME PARK
DBKL.JPPPKM01/1037/11/2015
SCHOOL
Ice cream makes u happy

屋内ということで小さな乗り物が多いのかと思いきや、屋外の遊園地に負けないぐらい迫力のあるジェットコースターが見えます。プリンには、ちょっとスリリングすぎるかな？と思いながら入ったのですが、奥のエリアには、小さい子供たちが楽しめる乗り物や、遊び場も色々とありました。

ネオングリーンとマスタードイエローをベースにしたカラフルなスペースには、独特の世界観を持ったキャラクターたち。とろーんとした目をした巨大な花や、青いまん丸い顔の宇宙人？決して可愛くはないのですが（笑）、逆に他ではなかなか味わえないセンスw 特にメリーゴーラウンドは、馬の代わりに奇妙な恐竜？

プリンが特に気に入ってずっと遊んでいたのは、カラフルな魚がグルグル回ってくるフィッシングプール。乗り物だけではなく、アクティブに遊べるものもあってかなり充実した遊びを楽しめました。市内のど真ん中にこんな施設があるのがありがたい！物価（土地？）の安さと子供中心の社会であるからこそできることですよね。

屋内でこんなに盛りだくさんの乗り物や遊び場がある遊園地が日本にも欲しいｗ！

STARBUCKS
Proudly Served by Deaf Partners
Thank you for your visit.
Kindly complete your order ticket and hand it over to our deaf partners.
Swipe to check your Starbucks Card balance and reward here.
MY STARBUCKS REWARDS

THE QUIETEST STARBUCKS 世界一静かなスタバ

Meet-upの手伝いをしてださることになったちか友のめいさんとバンサーで打ち合わせ。バンサーショッピングセンターに「世界一静かなスターバックスがある」と興味深い情報を教えてくれ、連れて行ってくれました。

一見普通のスターバックスにしか見えないのですが、看板をよく見るとSTARBUCKSという文字の上に手話の絵が。ここは、手話が共通言語となるスターバックスのサイニング・ストア。今は、アメリカや日本にもありますが、なんとマレーシア発祥だったのです。

スターバックスのマレーシア支社がマレーシアの聴覚障害者を支援する団体と取り組み、聴覚障害を持っている方々を雇い、手話や手書きでのコミュニケーションでオーダーを取ります。

注文に行くと、カウンターには電子メモパッドとペンが置いてあり、そこに注文を書きます。店員さんにボードを渡すと、注文したサイズのカップを渡されて、名前を書いてくださいとお願いされます。注文後、ボードに「Thank you」と書いたら笑顔で手話で返してくれました。ひと言も喋らず、こんなに温かい気持ちになるコミュニケーションがあること

に感動しました。

実は、私が小学生の時、クラスに聴覚障害を持っている子がいました。彼には専属の手話の通訳の方がいたのですが、その方がクラス全員に手話を教える時間もありました。発表会では手話で歌を披露したり、一人の特別なニーズをきっかけにクラス全員で新しいことを学ぶ、今思うと海外らしい取り組みだったのかなと思います。

アルファベットの手話はいまだに覚えているのですが、他はほぼ忘れてしまいました。このスターバックスに行く前に少し復習しておけば良かった！

LUNCH WITH THE LOCALS

ローカルおすすめのランチ！

Curry Lakasa（右上）とchar kuey teow。

コンドミニアムの近くにある中華料理屋さんで「あなたの動画をよく見てるわ！」と興奮気味に声をかけてくれた中国系マレーシア人のリンさん。それをきっかけにローカルなお店や情報を教えてもらいました。彼女がよく家族で行くRobinsons（現在は閉店）というデパートのフードコートで待ち合わせることに。可愛いインテリアと色んな種類の中国系マレーシア料理を食べられるのが魅力。

ココナッツスープカレーに麺が入っているcurry Laksa、太麺焼きそばのchar kuey teow（タイのパッシーイウに似てる）、鶏の土鍋ご飯claypot chicken riceなど、たくさんの中国系マレー料理を頼んでくれました。ベースは中華なのですが、スパイスやココナッツを加えて調理することによって東南アジア風にアレンジ。

私は特にchar kuey teowが大好きで、どこに行っても頼んでいました。

食後には、チェンドルを！ Week 2で食べたドリアンのチェンドルとは違い、ノーマルでとても美味しかったです。特にピーナッツと濃いピンクのローズシロップがトッピングされているかき氷が上品で印象的でしたw 日本のかき氷のように氷をすくって食べるのではなく、氷が溶けるまで混ぜてほぼほぼスープのような状態で食べます。

ピーナッツとローズシロップのチェンドルが上品で美味！

ちか友のリンさん（中央右）、とリンさんの娘さん2人。

ランチ中にリンさんとリンさんの娘さんたちと色々なお話をしたのですが、聞いて少し驚いたのが言語の話。リンさんは、問題なく英語を話しますが、マレーシアのアクセントがあります。アクセントがあるからどうしても第二言語だと思ってしまうのですが、英語はリンさんの第一言語。

イギリスに占領されていた時、教育は英語で行われていたマレーシア。リンさんのご両親が英語で育ったためリンさんもまずは英語を学びました。けれど、マレーシア人としてマレー語は必須。その後、学校でマレー語を学んだみたいです。中国語は世代を重ねるうちに徐々に薄れてきていて、娘さんたちはもう喋れないとのこと。それでも英語とマレー語のバイリンガル。

マレーシア人の共通言語は、マレー語。それに加えて世代や教育によって流暢に英語を話せる人もいたり、親の教育方針によって自分の先祖の言葉も話せる人もいるみたいです。少しずつ整理されてきましたw

実は、この週はもう一人の中国系マレーシア人の方とランチをしました。以前、紀伊國屋書店でバイリンガールコーナーがあることを教えてくれたKhoさん。1ヶ月ぐらい前に出会ったSuria Shopping CentreのMadam Kwan'sというお店で食べることにしました。このお店は、クアラルンプールのどのショッピングモールにもある中国系マレー料理のチェーン店。何回もお店の前を通ってはいたものの、今回初めて入り、この日以降、色々なモールでお世話になることにw

Khoさんとのお話で特に興味深かったのが中国系マレーシア人のアイデンティティの話。どこに行っても中国の旧正月のデコレーションで真っ赤に染まっているクアラルンプールの街、中国文化の存在が非常に大きいのです。その一方でマレー系の人々が優遇されるBumiputra（ブミプトラ）政策*があったり、中国系の方々がどういう意識でいるのか不思議に思っていました。

Khoさんはマレーシア人ですか？と聞くと、「はい、僕はマレーシア人です。中国には一度も行ったことがないし、全くわからない」と話してくれました。マレーシアには、大ざっぱに言うとマレー系、中国系、インド系の3つに分けられ、宗教もコミュニティも違い、習慣も違う。でも、みんなマレーシア人というアイデンティティを持っている。

言われてみれば、アメリカだって色々なバックグラウンドの人々がそれぞれアメリカ人というアイデンティティを持って共存しているのですが、3つのはっきりとしたルーツの存在が、マレーシアの独特なところ。

現地の人々と触れ合えばわかりますが、マレーシアはとても寛容な国。そしてKhoさん曰く、とにかく楽しいことが好き！ だからこそ、イスラム国家でありながら、旧正月も祝うし、クリスマスも祝う。（実際、Suriaの旧正月デコレーションの前で写真を撮っているマレー系の方もたくさんいましたw）この寛容さと陽気さこそ、3つのルーツを持つ人々が独自のアイデンティティを持ちながらも共通した意識で共存できる理由なんだと感じました。

watch for more!

〔#868〕マレーシア人のお友達とランチ！

〔#881〕現地のお友達に多民族国家マレーシア について色々と聞いてみた！

プチマレーシア情報

Bumiputra

ブミプトラ政策について

ブミプトラ政策とは…正式な名称ではないものの、マレー系マレーシア人の経済的地位の向上をめざす優遇政策の通称として使われています。マレーシアはマレー系、中国系、インド系をはじめとする多民族国家ですが、この政策はマレー系や先住民のみが優遇されます。

イギリスの統治下時代に移ってきた中国系の人々が、独立後に経済を取り仕切り、豊かになったことで、経済的に劣位になった先住民であるマレー系との民族対立が発生してしまいました。そこで貧富の差を解消し、政治・社会を安定させるべく取られたのが、マレー系を優遇する政策です。

公務員の採用や職業訓練といった就職面、公共事業やライセンスが必要な事業などの経済面、奨学金や留学制度などの教育面、他にも不動産の価格、コンドミニアムの一定数がマレー系に割り当てられているなどなど様々な優遇があります。

近年は非マレー系への配慮から、政策の一部が見直されているようですが、クアラルンプールで過ごしていて感じたのは、それでも中国系は経済に強い！「政治家はマレー系、社長は中国系」なんて表現も耳にしました。

それぞれの民族が様々な想いを抱きつつも、絶妙なバランスを保っているのは、マレーシアのおおらかな国民性によるものなのかなと。でも、実際はこんな簡単にまとめることのできない問題だと思います。調べてみるととても奥深い歴史的背景、そして刻々と変わる状況が見えてきます。

恭賀新禧
SURIA
KLCC
GUCCI
SURIA
KLCC
CAREER

ISETAN
The Japan Store

ISETAN THE JAPAN STORE

クアラルンプールに伊勢丹が！

Week 1では、KLCCのSuria Shopping CentreにあるISETANデパートについて少し触れましたが、この日は、LOT 10という商業施設にあるISETAN The Japan Storeに行ってみました！ 実は、Week 5にお世話になったヘアサロンの隣にあり、その日から少し気になっていました。

こちらのISETANは、他のロケーションとコンセプトが異なり「The Japan Store」で想像できる通り、日本の文化をマレーシアの人々に知ってもらう目的でオープンされたようです。

でも、単に日本の商品を並べているだけではなく、マレーシアのデザイナーと日本のデザイナーがコラボしたアパレルやお土産などがあり、他とは違ったお買い物ができる印象です。

1階にあるNayuta（現在は閉店）というチョコレートショップは、日本人のショコラティエとマレーシアのチョコレートメーカーがコラボし、アジア人のテイストに合ったチョコレートを展開しています。ヨーロッパとアジアを融合したユニークなデザインで人気な「Nala」というマレーシアのブランドがパッケージデザインをされていて、とっても可愛いです！

やはり文化を広めるのに一番効果的なのは食べ物ですよね。アパレルや雑貨のフロアよりも、地下にある食材のフロア、そして最上階にあるレストランフロアのほうが圧倒的に賑わっていました。

食材のフロアには、高級フルーツや和牛などが売られており、その場で色々な和牛を鉄板で焼いて試食できるカウンターまでありました。

そしてこの季節は、お正月飾りや、お餅やおせち料理の材料、本格的な信州そばからインスタントそばまで揃っています。

マレーシアでは、海外にいながらも問題なく本格的なお正月を迎えられます！

レストランフロアには、カクテルやお酒を楽しめるラウンジや、高級な焼肉やお寿司を食べられるお店、そしてより気軽に入れるラーメン屋さんや天丼のお店など様々な選択肢があります。

私たちは「あんず（ANZU）」というとんかつ屋さんによく行っていました。行くだけでなく、Grab Foodで出前していました。マレーシア産の豚肉を使っているのですが、ジューシーでとっても美味しいです（イスラム教では豚肉を食べられないのでちょっとびっくりしました）！

日本のクオリティと変わらず、衣はサクサクでお肉はジューシーなとんかつがマレーシアで食べられるとは！ 店員さんは全員現地の方だったので、クオリティをどう維持されているのか気になりました。

駐在員の方などにも人気のようで、ランチ時などは、日本のオフィス街のようでした。

レストランフロアは本当にバラエティ豊富！
日本で行きつけのとんかつ屋さんも発見!!

DAILY SNAPS

Happy New Year!

ISETAN The Japan Storeで調達した
お正月飾りを飾ってみました！

Dolly Dim Sum

2020年最初の食事は、飲茶！
Avenue KのDolly Dim Sumに行ってみました。
残念ながら私が好きなカートから取るスタイルではありませんでしたが、
店内もとても可愛くて飲茶も美味しかった♥

Next, it's Chinese New Year!

クリスマスとお正月が終わると次は旧正月!
すごい勢いでデコレーションが
変わっていました!

Dinner with a good friend!

私がプロデュースしている旅英語アプリ
「HELP me TRAVEL」の開発を
担当してくれている鵜飼さんが
たまたまお仕事でマレーシアに!

Waterplay at KLCC Park!

前から気になっていたKLCC Parkのキッズプール。
KhoさんとSuriaでランチをした後にやっと行けました!
ちょっとした滝もあってプリンは大喜び!でも、
水が結構濁っていたので、
もう少しメンテナンスをしてほしい!と思っちゃいました。

RØDE
Canon
EOS

WEEK 7

Starting to feel settled in!

年末年始のお祝いが終わり、やっと生活が落ち着いてきた？

DAY 42

Lunch with Kho-san

マレーシア人ちか友のコウ（kho）さんと「マダム・クワンズ」でランチを。
食後は、ドリアンミルクレープにチャレンジ！

43

Appointment with the venue

Meet-up イベントの会場の下見と打ち合わせ

44

Osaru-san starts English school

おさるさん英語力UPプロジェクト始動。
まずは説明と英語力判定を行いました。

45

First English lesson

おさるさん英会話学校へ行く！ そして「さる友」飲み会？ 蒸し鍋料理からへリポートラウンジまで。

46

Creative Industrial Space

印刷所を再開発したおしゃれスペースを発見
意識高めのカフェやレストランが揃っている「クリエイティブな産業施設」

47

Family trip to Singapore

Klookさんとのコラボでシンガポールへ家族旅行
（Week 8 で詳しく書いてます）

48

PLANNING THE MEET-UP

ミートアップの企画

Week 6で見つけたプリンの遊び場「Jungle Gym」に感激し、ここでmeet-upをしたら？とおさるさんと話していました。プリンが遊んでいる間に私が作業していたカフェスペースはかなり広々としていて、イベントもよく行っているとか。

普段、海外でmeet-upをする時は、日時を決めてどこかの公園に集まってもらう、かなりラフな感じでやっているのですが、マレーシアの暑さで外で開催するのは無理があると思っていた時に、この場所と出会ったのです。

ちか友の中にはママの方も多いので、イベント中にお子さんたちが退屈したらプレイグラウンドで遊べるし、最高じゃん！ とその時は思っていたのですが、実際イベントを抜けてお子さんたちを遊びに行かせる人なんていませんでしたw

数日前にちか友のめいさんと打ち合わせをした際に、会場に立ち寄ってマネージャーのイリヤさんと話をしました。イリヤさんは、モダンマレーの女性でヒジャブをしていません。ヒジャブをしていない女性はあまり見かけたことがなかったので、珍しく感じたのですが、クアラルンプールにはイリヤさんのようなモダンマレーが結構多いとか。今日は、そんなイリヤさんの上司も含めてイベントの具体的なお話をすることに。

カフェを借り切ってやる気満々だったのですが、なんとイベント会場もあるとのこと！ プレイグラウンドの入り口の手前にある大きな扉を開けると、円卓がいくつも用意されている会場が！ 広さもあり、ステージもあり、イベントにぴったりな場所！

ビュッフェのプランを決めた後、デコレーションの話に。写真撮影ができるスポットがほしいと伝えて、Pinterestで見つけたいくつかのイメージ画像を見せました。マレーシアの自然へのオマージュとして（そしてJungle Gymという会場だしw）、「ジャングル」をテーマに！

それを受けて、上司の方が「こういうお花をテーブルに飾るのはどう?」と、なんと真紫のお花の写真を! イメージ画像に一切出てこなかった色だし、自分の発想にはない色のセンスでしたが、現地の方々がどうデコレーションするかを見るのも体験の一つと思い、「お任せします」と伝えましたw

会場を押さえるためにデポジットを支払う必要があったのですが、費用の何割が必要とは決まっておらず、「2000リンギットぐらいかな」と言われました。クレジットカードでは払えず、銀行振り込みか現金のみということで今日は現金を持っていないと伝えたら、あとででいいよ、とかなりゆるい感じ。その後チャットでやり取りをしていたら、「信用しているからデポジットはいくらでもいいよ」と言われましたw イベントは定期的にやっているはずなのですが、細かなルールはなく、毎回case-by-caseでお客さんとの関係性で対応している感じでした。

今まで現地の方々とイベントを企画することはなかったので、マレーシアの人々の仕事に関する意識や文化を知るいい機会でした! とても面白い体験になりそう!

Decoration Ideas
私が共有したイメージはこんな感じ

Jungle theme!

イリヤさんの上司が提案した真紫の花。
私と全く違うセンスに賭けてみましたw

ムスリムの女性とヒジャブの存在

ムスリムの女性は、一般的に外に出かける際に頭や身体を覆うヘッドスカーフをつけます。

このスカーフは、よく「ヒジャブ」と呼ばれますが、「ヒジャブ」は、元々頭や顔を覆う行為を指す言葉だったとか。スカーフの呼び方はスタイルによって色々とあります（様々な着物のスタイルがあるのと同じように）。頭は覆うけど顔は出しているスタイルから頭も顔もすべて覆うブルカまで、ムスリム女性のヘッドスカーフはいくつかのパターンがあります。

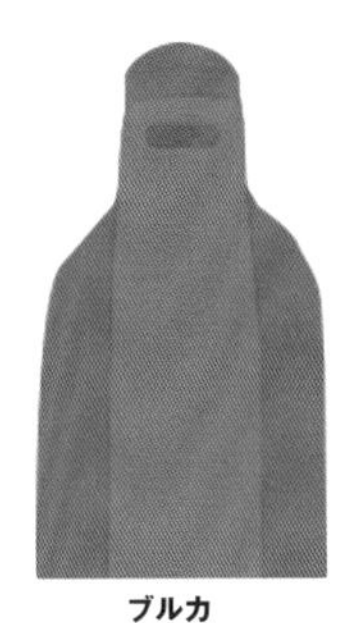

ブルカ
Burka
Full body, covers entire face, a mesh screen covers the eyes
（全身、顔全体を覆い、メッシュ地で目を覆う）

ニカブ
Niqab
Veil for the face, eyes remain visible
（顔を覆い、目は見える）

ヒジャブ
Hijab
Square scarf covers head and neck
（四角いスカーフが頭と首を覆う）

チャドル
Chador
Full-body cloak
（全身マント）

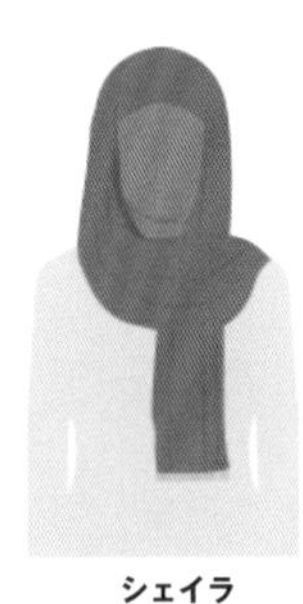

シェイラ
Shayla
Long scarf, wrapped around the head
（頭に巻いた長いスカーフ）

アルアミラ
Al-Amira
Two-piece headscarf
（ツーピーススカーフ）

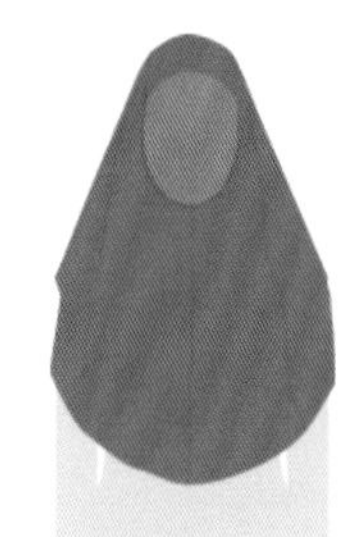

カイマー
Khimar
Cape-like, covering hair, neck and shoulders
（ケープのようなもので髪、首、肩を覆う）

出典:https://www.bbc.com/japanese/56316923

マレーシアの女性は、頭だけ覆っている方がほとんどです。どんな形であれ、ヘッドスカーフをされているとコンサバティブで信心深いイメージを勝手に持ってしまいますが、クアラルンプールでよく見掛ける華やかでファッショナブルなヘッドスカーフを見ると、自己表現・ファッションの一部でもあるように感じます。

さらに、都会ではそもそもヒジャブをしないムスリムの女性も少なくありません。日本人の知り合いが働くクリエイティブ系のオフィスをたまたま見学させてもらったのですが、そこにはイリヤさんのようにヘッドスカーフをしていない女性が何人もいました。

ヘッドスカーフをしていない＝信心深くないと思われがちみたいですが、必ずしもそうとは限りません。そして、逆にヒジャブをしているからといって、コンサバティブだという訳でもありません。

あるTEDTalksで、スカーフをしていないムスリムの女性がコーランの内容を元にヒジャブの存在について説明されていたのですが、そもそもヒジャブは女性を守るために提案されたものであり、女性を制限するものではないことを熱く語っていました。でも、全員が「制限」として捉えているかというとそうではなく、自己表現あるいはムスリムであることを誇りに思うからこそスカーフを巻く女性もいます。

一方、スカーフだけしていれば親にうるさく言われないから、とりあえず巻いているという若い女性もいるとか。マレーシアではヒジャブをしていたのに、留学先から投稿するインスタの写真では一切ヒジャブをしていないという話も知り合いから聞きました。

特に海外での生活や、色々なバックグラウンドを持つ人と接するビジネスシーンにおいては、unconscious bias（無意識なバイアス）を避けたいと思ってヘッドスカーフをしない方もいると思います。オーストラリアのSouthBankのTEDTalksでムスリムの女性がunconscious biasについて話されているトークも興味深かったです。

一枚の布がこんなにも意味を持ち、色々な印象を無意識にも与えていると思うと、とても奥深いものですよね。

簡単にまとめられる内容ではありませんが、私が色々と調べて感じたのは、とにかくヒジャブをしているから、していないからで勝手にイメージを持つことはやめようということ。ムスリムであることは共通していても、その捉え方や表現の仕方は人それぞれでスカーフの有無や巻き方で判断できることではありません。

何でもそうですが、Don't judge a book by it's cover（本を表紙で判断するな）！

マレーシアでは日常会話で英語は使うものの、ごく限られた会話しかしないので、せっかくセブ島での留学で得た英語力を落とさないために、おさるさんが英会話学校へ行くことに。

（文・おさるさん）セブ島の語学留学の時とは異なり、毎日学校に通うことはできないので、集中的に勉強をしたいと思い、1回2時間、週1回～2回の英語レッスンに通うことにしました。学校は、プリンの通う保育園のあるモントキアラにあるので、朝プリンを送った後に通うことになります。入学申し込みの際のカウンセリングで、通う目的は「アメリカ人とスモールトークを英語で話せるようになりたい！」と伝えたので、それに合ったカリキュラムを用意していただきました。

そして、アメリカ人の先生と2時間みっちりマンツーマンのトークレッスンを行うことになりました。内容は、国際情勢や経済、政治から、男女関係、子育て、はたまた哲学など、多岐にわたるテーマをもとに、自分の意見や主張を伝えたり、先生の意見を聞き、それに反応したりします。また、マレーシアという国のことや文化もレッスンに反映されてきます。
2人の担当の先生がいたのですが、一人の先生はマレーシア人の奥様と結婚したアメリカ人で、イスラム教に「改宗」していて（イスラム教の女性はイスラム教徒としか結婚できない）、イスラム教のしきたりや結婚式のエピソードなど、改宗した立場から見えてくる視点で教えてくれました。

また、もう一人の先生は、カリフォルニアで消防士をした後に、中国、韓国、モンゴルなど様々な国で英語教師をしてこられた経験があり、マレーシアだけではなく、様々な国の文化や英語に対する考え方も教えてくれました。特にモンゴルでの経験は初めて聞くものばかりで興味深かったです。

話すことは楽しく、2時間が経つのは早く感じました。ボキャブラリーや文法的知識がなくて言いたいことが言えない歯痒さを感じた反面、英語でコミュニケーションがなんとか取れることの嬉しさも感じました（はい、ポジティブ思考です）。ただ、英語で2時間、面と向かって話すのってけっこう体力を使います。

レッスンが終わった後は脳が糖分を欲しているようで、甘めのフラペチーノを飲むのが習慣となりました。

そんなおさるさんが戦っていたのは英語だけではありませんでした。噂では聞いていましたが、うちの部屋にも一度だけ出没😱

100 Meter
KEMASUKAN MURID
PERSEKOLAHAN 2020

BREAKFAST THIEVES AT PAW

朝からやる気が出る！

私はとにかく朝食を食べに行くのが好きで、いつも素敵な"breakfast spot"を探しています。この日は、Google Mapsで見つけたBreakfast Thievesというお店に行ってみることに。バンサーのAPWというちょっとした商業スペースにあるのですが、隣には意識高めのカフェもあり、奥にはフュージョン料理のモダンなお店が2〜3軒並んでいます。

APWはArt Printing Worksの省略。なんと、ここは1965年に設立された印刷工場なんです。2013年に工場の未使用スペースを使ってクリエイティブなことをしようというプロジェクトが始まり、Breakfast Thievesを含め、おしゃれなお店たちがオープンしました。

Breakfast Thievesは、メルボルンのFitzroyエリアにあるカフェの姉妹店。メルボルンは、前回のプチ移住先だったので、クアラルンプールでも繋がりを感じてなんだか嬉しかったです。実は、距離的な理由もあり、マレーシアの学生はオーストラリアに留学する人が多く、帰国してから起業されることも珍しくありません。そういった背景から、クアラルンプールでは、ところどころオーストラリアのインスピレーションを感じます。

食後は、お店の隣にあるPULPというコーヒーショップに入りました。フードケースやカウンターの雰囲気でメルボルンのMarket Lane Coffeeを思い出しました。

レストランは、早く着きすぎてしまったのか人がいなかったのですが、カフェは朝から意識高くお仕事をしている人たちで賑わっていました。自由でクリエイティブな仕事をされている方々が多い印象で、打ち合わせをしている方々からも生き生きとした空気を感じました。

私は、会社を辞めてから8年経ちますが、オフィスも上司もないワークスタイルで、特にプリンが生まれる前は、カフェでよく仕事をしていました（家にいるとすぐ寝ちゃうw）。

もし、もっと早い段階でクアラルンプールのことを知っていたら、確実にここでノマドワークをしていたと思います。物価は安いし、人もフレンドリー、異文化に寛容、仕事のやる気が出そうなカフェもたくさん！ 最高ですよね。

Week 1でご紹介したおしゃれスーパーもそうだったのですが、マレーシアは本当に言葉遊びが好きで、このカフェにも思わず写真を撮りたくなるクレバーな言葉がありました。

コーヒー豆やお店のグッズを売っているコーナーで上を見上げると、鏡があり、その鏡には「もっと美味しいコーヒーを飲んでいる自分を想像してみて」と書いてあります。PULPのコーヒー豆を手に取れば、まさにより美味しいコーヒーを飲んでいる自分が見えてくるよ！的なw

こういうおしゃれなplay on words（言葉遊び）は、クアラルンプールのカフェ巡りをより楽しくしてくれる要因の一つです。

RM1.5 mil
www.bizsmart.com.my
Grab
Food
KLCC

MOTORCYCLE CULTURE

バイクはもはや自転車！

クアラルンプールでの移動は基本的にすべてGrab。市内はモノレールもバスも走っているので公共の移動手段もありますが、Grabの便利さと安さに惹かれて結局アプリで配車ばかり。でも、この日は歩いてみることに。数日後にお仕事でシンガポールに行くことになっていたので、プリンの洋服を少し買いたくて、Suria Shopping Centreへ。

実は、バスに乗ろうと思ってバス停で待っていたのですが、渋滞する時間帯だったからなのか、全然来る気配がなく諦めて歩くことにしました。メインの通りは綺麗に整備されていますが、一歩外れると地面から巨大な木が生えてしまって歩道がガタガタに割れてしまっています。

元々ここがジャングルだったと感じさせますw

L.A.のベニスビーチ近辺の住宅街もよくこのように木が生えてしまい地面が割れている光景を見ますが、ここまで大きい木はないかも！ 元々ジャングルだった土地ですからね。整備も大変そうです。ちなみに、向かい側に見える緑は、Week 3でご紹介した自然保護林に登録された森「Eco Park」。コンクリートの下はまさにジャングルなのです。

でも、歩いていて一番びっくりしたのは歩道を普通に走ってくるバイクたち。歩道に自転車レーンが記されているのですが、自転車は一台も通らず、次から次へとバイクがブンブン通っていきます。

歩道の自転車レーン？ を堂々と走るバイクたち。

自転車の絵が描いてあるけど、本当はバイク専用レーンなのかな？ どちらにせよ、同じ歩道を歩いている身としては結構怖いですw しかし、夕方のこの時間帯は本当にノンストップでバイクが歩道を走ってくるので、歩きはおすすめしません！ 車移動でもバイクの多さは感じていましたが、歩くことによってバイクたちの存在感をより一層感じました。

DAILY SNAPS

New clothes for Pudding!

Suriaにある可愛い子供服屋さん
「Gingersnaps」、
フィリピン発祥の子供服ブランドで、
今は東南アジアを中心に展開されているそうです。
洋風だけどアジアンテイストの
柄やデザインも色々とあり、
南国のキッズファッションとしてぴったりなものが
揃っています！

Chinese New Year Fashion

この時期は、旧正月で赤いお洋服もたくさん！
こちらは、オーストラリア発祥の
「COTTON:ON KIDS」ですが、
現地に合わせて干支を取り入れた
洋服などもありました。

Made some new friends!

バルーンアートをデザインされているちか友の
Momoさん&familyに出会いました！
Momoさんは、バルーンアートの生徒のDebbieさんに
会いにクアラルンプールに来ていたそうです。
そんなDebbieさんは、デサ・パークシティで可愛い
アイスクリーム屋さんを経営しているとのこと。
いつか遊びに行きたいな！

Peanut butter dorayaki??

ピーナッツバターのどら焼き！
マレーシアには、このようにちょっとアレンジされている
日本の商品が結構あります。
食べてみましたが、やっぱり日本人として
どら焼きは餡子を挟んでほしい！と
思っちゃいましたw

近くのカフェで年末年始の花火の動画を編集！
それにしても、花火に負けないぐらい
華やかなアボカドサンドでしょ?!

WEEK 8

Family Trip to Singapore!

落ち着いてきたと思いきや、再びシンガポール旅行！

DAY 49

Family trip to Singapore

Klookさんとのコラボでシンガポールへ家族旅行

50

51

52

53

Collab with JinnyBoyTV

マレーシアの人気YouTuber JinnyBoyとコラボ動画を撮影

54

Day of rest!

家でのんびり！

55

Work day

バンサーのJungle Gymでナニーさんに数時間プリンと遊んでもらい、
私たちは動画編集！

FAMILY TRIP TO SINGAPORE 家族でシンガポール！

12月に行ったばかりですが、またまたシンガポールへ！ 今回は一人旅ではなく、家族で。旅先でのアクティビティを簡単に予約できる「Klook」というアプリの紹介動画を作るお仕事で行くことになりました。

今回は有名なマリーナベイ・サンズに泊まってみることにしました。3つのタワーとそれぞれを上で繋ぐ宇宙船のようなルーフトップ。外からのインパクトはもちろんですが、中からもなかなかの迫力です。

チェックインの際に「4泊なんて、長い旅行ですね！」と言われてしまいましたが、撮影をするとなるとなんでも倍の時間がかかってしまいます。さらに、プリンが生まれてからは、ガッツリずっと撮影をする訳にはいかないので、かなりの余裕を持たないと難しいです。様々なアクティビティを体験しましたが、まだまだやってみたいこと、行ってみたいところがたくさんあったので、シンガポールは3日で回れるとよく言われますが、1週間ぐらいいてもかなり楽しめる気がします。

有名なマリーナベイ・サンズのロビー。吹き抜けが気持ちいい！

DUCK TOURS

着いた当日は、シンガポールの全体を見られたほうが良いと思い、陸も水も走れるDuck Toursに参加してみました。シンガポールの歴史を聞きながら、海からマーライオンを見たり、有名なスポットを巡ります。

シアトルもDuck Toursが有名ですが、実は乗ったことがなかったので、初Duck！ 地元だとなかなか観光チックなことをしませんよね。

あまりじっとしていないプリンもシンガポールの暖かい風を気持ち良さそうに感じながら、色々な景色を楽しんでいました。受付で買ったアヒルの唇の形をした笛で遊んだり、小さいお子さんも楽しめるアクティビティです。

笛を吹くので体力を使い、さらにボートの揺れが気持ちよかったのか、プリンはツアーが終わる前に寝ちゃいましたw

Duck Toursでシンガポール観光！ アヒルの唇の形の笛で遊びながら回りましたw

CABLE CAR

シンガポールの景色を楽しむならロープウェイもおすすめ。ユニバーサルスタジオからマウントフェーバー公園までの道のりが素晴らしかったです！
着いたら素敵なカフェもあるので、景色を見渡しながらドリンクでも！

WILD WILD WET

マレーシアでも毎日プールで遊んでいて、水遊びがより好きになったプリン。ウォーターパークならたくさん楽しめると思い「Wild Wild Wet」に行ってみました。

セントーサ島にもウォーターパークがあったのですが、ここは小さい子から大人まで楽しめる幅広いウォータースライドの種類があるということでこちらに決めました。

週末にもかかわらず、人も比較的少なく、とても遊びやすかったです。キッズエリアもかなり充実していて、沢山の滑り台や橋、仕掛けがありました。プリンがもう少し大きかったらもっともっと楽しめるスポット。いつかまた来たいな〜と思いながら遊んでいました。

大人用のスリリングなウォータースライドもいくつかあり、私とおさるさんもトライしてみました。ほぼ90度の角度で落ちていくスライダーはさすがに怖かったです。鼻には水が入るし、水着はお尻に食い込むし、私はプリンと浮き輪でぷかぷか浮いたり、大きなバケツから水をかぶったりぐらいの遊びがちょうど良かったです！笑

GARDENS BY THE BAY CLOUD FOREST

大きなガラス張りのドームの中は、まるで天空の森林。珍しい植物や、霧やミストの演出でとても神秘的な空間。フラワードームも華やかで綺麗ですが、個人的にはこちらのCloud Forestにだいぶ癒やされました。発想自体ももちろんすごいですが、こんな世界を形にできちゃうのも素晴らしいですよね！

CHILDREN'S GARDEN

ガーデンズバイ・ザ・ベイは本当にたくさんの見所がありますが、プリンが一番楽しんだのは、Children's Gardenの水遊び場！ この裏には、ジャングルを散策しているようなキッズ用のハイキングコースもあります。

くるくる回るスプリンクラー、ピューッと水を出すお魚さんたちでびしょびしょになりました。ここに来る際は、絶対に水着を持ってきてください！ 最後は、フェスのアーティストのような格好で水を浴びていましたw

POLLEN

仲のいいお友達にすすめられたフラワードーム併設のフュージョン系のレストラン。とてもおしゃれなファインダイニングのお店ですが、ガーデンを背景になんとも言えないリラックスした空間。

おしゃれなレストランですが、子供にもフレンドリーで、ベビーチェアも可愛いキッズ用食器の用意もあって助かりました。大人も子供も楽しめる観光地はとても嬉しい！ アジアのラスベガスですね。

ちなみに、フラワードームと同じ室温を保つ必要があるため、少し肌寒く感じるので何か羽織るものを！ 昼間だったら2階のFennel Caféでお茶をするのもありかも！

NIGHT SAFARI

自分が想像していた以上に楽しかったのが、ナイトサファリ！ 暗闇の中をトラムで通ってドキドキしながら色々な動物を見て回るのですが、そのサファリが始まる前に「Creatures of the Night show」といって、動物たちがステージでちょっとした芸を披露してくれるアニマルショーがあります。

早めに来ないと席がなくなってしまうほど人気なショーなのですが、始めのアイスブレークとして飼育員の方が観客に出身地を聞いてきました。韓国から来てる人??「はーい」と数名が手をあげます。日本から来てる人？「はーい」私とおさるさんが手をあげますw 「インドから来てる人？」「わーい!!!!」とびっくりするパワーで大勢の人たちが歓声をあげます。

そもそもインドの方がこんなに多かったことにびっくりしたとともに、ものすごいエネルギーに圧倒されました。人数のせいもあると思いますが、そもそも個人レベルでも積極性が違うように感じました。このエネルギーの違いは、きっとビジネスシーンでも表れるんだろうな。グローバルな仕事ではやはり積極性がとても大事。アニマルショーを見ながらそんなことを考えていましたw

ショーが終わり、ナイトサファリにいよいよ出発！オーディオガイド付きの大きなトラムもありますが、私たちはリアルガイド付きのプライベートトラムに乗ってみました。紫色の空がミステリアスでワクワクしました。

「次の動物は、プリンも好きなんじゃない？ フラミンゴは、人参にも入っているある成分でピンクになるんだよ。プリンもピンクになりたかったら人参をいっぱい食べてみて！」と、とてもパーソナルで勉強になるツアーに感動しました。

途中でウォーキングツアーなどもあり、子連れにはいい気分転換。様々な種類の鳥が集まる森を暗闇の中通るのは、ワクワクと同時に少し怖くも感じましたが、そのスリルがナイトサファリの楽しさですよね。

象たちに餌をあげる体験も含まれていたのですが、残念ながらプリンはトラムの振動に揺られて、その前に寝落ちしてしまいました。

体験中にガイドさんが象の密猟の話もしてくれました。伝統的な価値観により未だに大勢の象たちが犠牲になっていることを教えてくれました。動物園はただただ楽しむところではなく、学ぶところだと大事なリマインダーをいただきました。

INFINITY POOL

マリーナベイ・サンズといえば、あの有名なインフィニティプール！ 夕方に行ってみたらものすごい人で、写真なんか撮れる状態ではありませんでした。イメージと現実のギャップがかなり大きくてびっくりw

朝の時間帯のほうが人が少なく、タイミングを計ればこのように誰も写り込まない写真を撮れますw 向かい側のデッキにはたくさんの人が寝そべっているんですけどねw

プールの背景にこれだけの景色があれば、それは観光スポットになりますよね！ でも、実は、シンガポールを象徴する建物のマリーナベイ・サンズは写らないんですよねw

AUGUST SOCIETY

子供がいるとなかなかゆっくりお買い物はできないと思いますが、ここだけは是非見てほしい！というブティックを見つけました。

「オーガスト・ソサエティ」は、香港で生まれ、カナダで育ち、ヨーロッパに留学をし、シンガポールに住む女性が立ち上げたスイムウェアのブランドです。

彼女は、元々デザイナーだった訳ではなく、カナダでは石油関連の仕事、東南アジアではコンサルタントをしていたそうです。もっとクリエイティブな仕事をしたいと思い、独学でデザインを勉強して会社を設立したとか。人生本当にわからないですね！

YSIAN FOOD STREET

UNIVERSAL STUDIOS

子連れでシンガポールに行ったら必ず行くであろうスポット！ 私たちは、Klookでearly entrypassをゲットして、30分前に入園！ しばらくは貸し切り状態だったので、誰も写り込まない写真も撮れてラッキー！

貸し切り状態で乗れる乗り物は一部に限られていて、プリンと一緒に乗れるのは、ジープでセットを回るTreasure Huntersぐらいでした。終わった頃には人が続々と入場し始め、プリンが乗りたがっていたマダガスカルの乗り物に辿り着いた時には、もう行列。

子供と並ぶ行列はきついですね（汗）。 やっと自分たちの番！ 最初は喜んでいたプリンも暗い洞窟は怖かったみたいです。

その後、セサミストリートのショーを見に行ったのですが、この月齢は、やはり音楽と踊り系が楽しいようです。一緒に踊ったり、手を叩いたり、かなり興奮していました。

私自身ジェットコースターが大好きなので、プリンがテーマパークを一緒に思いっきり楽しめる年齢になるのが今から楽しみ！と思いました。

ダイナーで頼んだコーラが溢れすぎてて、溶岩を表現したテーマ商品なのかと思ったら、ただ注ぎすぎただけでしたw

CHANGI AIRPORT

最後の観光スポットは、やはりシンガポールのチャンギ空港！ 空港自体まるでホテルのようでびっくりするのですが、最近新しくできたJEWELというショッピングセンターも併設されていて、ここがまたすごいです。

観光大国のシンガポール、あらゆる工夫をしてエンターテインメントを次から次へと生み出している様子が非常に刺激的！ マレーシアとはまた違う魅力があり、そんな別世界に1時間で行けちゃうのがまた嬉しい！

JINNYBOYTV

マレーシアのYouTuberから刺激受けまくり

JinnyBoyTVという有名なマレーシアのYouTubeチャンネルがあるのですが、ある知り合いを通してチャンネルを運営しているJinnyさんと繋がる機会がありました。

彼のYouTubeを開くと、映画のようなクオリティの高い作品ばかりで、ドラマやコントなど、本当に手の込んだ動画がたくさんあります。マレーシアの文化や生のマングリッシュを楽しく聞けて、気づいたら何本も見ていました。

現地のクリエイターとManglishの特徴を解説する動画を作りたいと思っていたので、Jinnyさんに協力してもらうことに！

スタジオがあるからうちのオフィスで撮影していいよと提案してくれました。へー！スタジオを持ってるんだ！これだけクオリティ高い映像を作ってるんだもんね。そりゃそうか〜どんな環境と体制で制作をしているのかも気になったので、お邪魔させていただくことに。

Grabに乗って、いただいた住所に向かうと、目の前にいくつかの高層マンションがあります。どのビルに入ればいいのかな……メッセージを送ると、すぐ誰かに迎えに行ってもらうから、そこにいて、と。しっかりスタッフもいるのね。

数分後、若い中国系の女性が迎えにきてくれました。長い廊下を歩きながら2年前にインターンから始めて、今はこの会社でSNSを担当していると説明してくれました。

白い廊下に白いドア、あまり個性のない建物。でも、Jinnyのオフィスのドアを開けると、一気に世界観が変わり、スタートアップ感が漂う小洒落たオフィス。入るとすぐに編集スタッフが大きなモニターのパソコンで作業をしており、奥にはゆったりとしたソファが置いてある応接スペース。

制作スケジュールが書かれているホワイトボードの裏にはミーティングルームで5〜6人がアイディアを交換し

watch for more!

〔＃870〕これがマレーシア英語！マレーシアの人気YouTuberに教えてもらった☆

あっている様子。会議室からJinnyが出てきて、もう少しで打ち合わせが終わるからちょっとここで待ってて、とソファに案内してくれます。

照明も温かい色味で居心地の良さそうなスペース。部屋を見渡しながら、私たちもこういう体制で仕事をしたいなーと妄想。

Jinnyの打ち合わせが終わり、スタジオへ。オフィスの向かい側の部屋に案内されると、様々な機材や撮影の小物がたくさん置いてあり、奥には大きな照明器具で完璧にライティングされている撮影スペースが。レンガの壁には本棚、JTVという文字がlight letterで飾ってあり、とても本格的。制作チームが実験で動画作りをできる場を作りたかったと説明してくれます。

未だに、自然光を使って撮影している私。午前中じゃないといけない。窓のそばじゃないといけない。こうやってスタジオを作ってしまえば、安定した環境でいつでも撮影ができる準備が整っている。あーこうじゃないとなー。前から感じていたことではあるけれど、このように実際形にしている人を見ると、本当にぐさっと感じる。

でも、YouTubeだけでこんなチームやスタジオを維持できるのかな？　Jinnyの会社は、YouTubeから始まったけれども、今はタレント事務所や企業のCM制作もしています。奥さんがタレント事務所を運営しているみたい

です。彼らのYouTubeチャンネルを見ると、たくさんの役者さんが出ているのですが、演者はすべて自分たちのタレント事務所に所属している人たち。なるほどー！上手くビジネスしてるなーと感心するばかり。

今家族でこぢんまりと活動しているのも自由で楽しいけれど、やっぱり人間って進化したい生き物。会社を作って、チームでよりクオリティの高いものを世に出していくことに、ちょっと憧れてしまいます。

東京でオフィスやスタジオを作るとなるとちょっと高いから、マレーシアで作ろうか？　おさるさんと笑いながら話しました。

OUR FAVORITE BRUNCH SPOT : YUT KEE 家の近くの大好きな朝食屋さん

Week 4のDaily Snapsでご紹介した家の近くの中華系レストラン。実は、あれから4〜5回行っているのですが、この日、初めてお店のオーナーの方とお話をしました。

代々続いているこのお店。その歴史はもう86年。今日お話しした方は、3代目！ 日本が好きでつい最近行ったことを話してくれました。日本のどこから来たの？と聞かれたので「東京」と答えたら、「東京は大きいじゃん。東京のどこ？」。実は2週間前に京橋に泊まっていたらしいですw

とてもフレンドリーな方で、店員さんたちがいつもニコニコ働いている理由はそこにあると思いました。プリンもここに来ると超ご機嫌。お兄ちゃんたちが通る度に手を振ってくれたり、面白い顔をしてくれたり、お仕事をしながらもたくさんのアテンションをくれます。マレーシアのお店はとにかく店員さんが多くて、みんな余裕があるのがすごく好きです。

かしこまっていないフレンドリーさがまた居心地がいいです。

このお店は、そんな働いている皆さんの雰囲気もとても良いのですが、食べ物も美味しい!! クアラルンプールに行かれる際には、是非立ち寄っていただきたいお店なので、いくつかのおすすめメニューを紹介します。

この日は、2代目と3代目のオーナーのお二人がいたので、写真を撮らせてもらいました。ビジネスと共に素敵な笑顔も受け継がれているんですね。

お兄さんたちからのアテンションで大満足なプリン。ご機嫌で思わずカメラに手を振っています。

◀ **GINGER NOODLE**

おさるさんが大好きなginger noodle。確かに、毎回ブレずにこれを頼んでいました。生姜の効いたあんかけの中には、お肉（または魚）と「気まぐれ麺類」が入っています。気まぐれというのは、毎回麺の種類が違うからです。時には太麺、時には細麺w たっぷりとトッピングされているネギもいい味を出しています。

▲ **HAILAM MEE**

私のお気に入りの麺ディッシュ。塩味の海鮮焼きうどんのようなもの！ 上に温泉卵がトッピングされていて、とろりとした黄身を絡めるとたまらない！

▲ **NASI GOREN**

塩加減が絶妙なフライドライス（焼飯）！ おさるさんとそれぞれ麺のディッシュを頼んで、これはシェアしています！

▲ **ROAST PORK SPECIAL**

金土日&祝日限定のRoast Pork Special。入り口でお肉の塊をザクザクスライスしてお皿に並べている様子を見ると、思わずよだれが垂れてしまいます。横に添えてあるアップルソースは個人的になくてもいいのですがw 皮はカリカリ、お肉はジューシーで美味しいです！

DAILY SNAPS

Family Lunch

一人旅の時にGoogleでお世話に
なったJoyと再会！
今度はお互いのファミリー連れ
でweekendランチをしました
☆ Keppel島にあるBayswater
Kitchenで食事をしたのですが、
テラス席に可愛い子供の
プレイグラウンドまで！
家族に最適なランチスポットでした！

以前一人旅でシンガポールに行った際に
出会ったUberの運転手さんが
おすすめしてくれたFIVE STARという
チキンライスのお店に行きました。
ネーミングがベタすぎて大丈夫かなと
心配していましたが、チキンの味は絶品！！
めちゃくちゃ美味しかったです！

Photographer Pudding!

スマホを手にとってしっかりと私の写真を
撮ってくれるプリン！

One-of-a-kind Carrot Cake!

Suria KLCCのBen'sという
カフェのキャロットケーキがすごい！
ナッツがたっぷりトッピングされていて、
今までにないキャロットケーキを
体験させてもらいました！
ストローは鉄製で、メルボルンの
St　ALiを思い出しました。懐かしい〜。

WEEK 9

Sightseeing with the family!

ローカルぶって家族にクアラルンプールを案内！

DAY 56
Lunch with the contest winners!
ちか友留学生活受賞者とのランチ。おさるさんの両親を迎えに。

57
Sightseeing with Osaru-san's parents
おさるさんの両親とKL観光、Yut KeeやEco Parkの近場を案内！

58
Souvenir shopping at Central Market
セントラルマーケットで雑貨やアクセサリーをゲット

59
Pudding catches a cold
プリンの体調が優れないと保育園から連絡があり小児科へ

60
Welcoming Mom to KL!
私の母もマレーシアに！ みんなでKL観光。

61
New Year's Eve?
静かな大晦日……かと思いきや、夜中に花火バンバン！！

62
Happy Chinese New Year!
旧正月元日、母とお気に入りのエリア、デサ・パークシティへ。

PUDDING CATCHES A COLD

プリンが風邪を引く

鼻水は日頃からちょくちょく出ていたのですが、この日は保育園から「熱があって体調が悪そうだから迎えに来られる?」と連絡がありました。迎えに行きつつ、そのまま病院で診てもらうことにしました。

クアラルンプールには、日本語対応しているクリニックがいくつもあります。保育園の近くで日本人が多く住むモントキアラ・エリアにある「森のまちクリニック」という小児科に行きました。商業施設の中にあり、綺麗なクリニックです。

迎えに行った時は体調が良くなさそうなプリンでしたが、私たちに会ってからは元気になったようで、待ち合い室にある子供用のテーブルで塗り絵を。

プレイエリアの絵本はすべて日本語のもので『おしりたんてい』などもあり、「しずかにしてね」などのお願いも日本語で書かれていました。先生のデスクには、アンパンマンの「めいけんチーズ」のぬいぐるみがあり、そこまでやる?と思うほど日本のクリニックになっていましたw

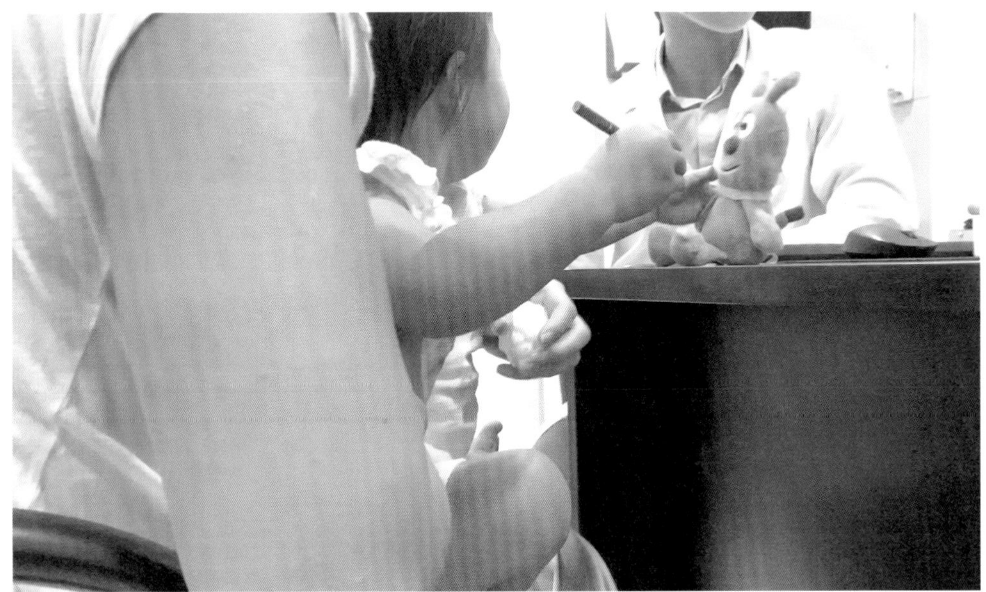
日本語で対応してくれる病院があるのは心強い!!

順番がきて診察室に入ると、先生は、日本人ではなく中国系の方。日本人の看護師さんが同席してくださり、通訳をしてくれます。

日本語で症状や日頃の健康状態などを看護師さんに伝えると、看護師さんが中国語で先生に説明。多民族国家のマレーシアならではだなと感じました。診断結果やお薬のことなどを私だけではなく、おさるさんも理解できる日本語で聞けるのはやっぱり心強いです。

どこに行っても英語は通じるので、現地の病院でももちろんよかったのですが、サービスのクオリティや清潔さに敏感な日本人を相手にされているクリニックには安心感があります。

そして、万が一私がいない時のことも考えて、日本語対応しているクリニックを知っておくといいと思いました。日本語で問い合わせができて、通訳の予約も必要なく見てもらえる小児科があることも、クアラルンプールの魅力の一つだと感じました。一番心配になる支払いや保険の話などもスムーズでした。

結果、プリンはただの風邪とのことで、自宅に戻った頃にはケロッとしていました。先週のシンガポールの疲れもあるでしょうし、日本からじいじとばあばも来てるから甘え癖が出ちゃったのかも?

PETRONAS TWIN TOWERS

世界一のツインタワーからの眺め

クアラルンプールの象徴と言ってもいい88階建て（452メートル）のペトロナス・ツインタワー。マレーシアの国営石油企業「ペトロナス（正式社名はPetroliam Nasional Berhad）」の本社ビルで、2本のビルをつなぐスカイブリッジと、86階の展望フロアを見学することができます。

何度もタワーの下のデパート（ISETAN）やSuria KLCCには行っているにもかかわらず、一度も登っていなかったのですが、私の母とおさるさんの両親が来ているこのタイミングで記念に上ることにしました。

マレーシアはけっこう時間にゆるい国ですが、ここの集合時間と見学時間はかなり厳しい！と聞いていました。予定時刻の15分前には受付に行かなければならないとのことでした。

でも、いつもバタバタの私たち。当日は、少し遅れてしまって15分前の受付時間を過ぎてしまい、かなり焦りましたが、思いのほか厳しくはなく（やっぱりマレーシアタイム？）無事に上ることができました。

2つのタワーを繋ぐ通路「スカイブリッジ」。

受付を済ませると、予約した時間帯ごとにグループ分けされ、目印となるステッカーを胸に貼ります。そして、専用エレベーターでタワーの上部へ上っていきます。

まずは、ツインタワー中腹にある2本のタワーを繋ぐ通路「スカイブリッジ」を見学します。今まで毎日のように眺めていた場所の中にいるのは不思議な感じでした。そして、クアラルンプールの街並みを背に、両家族合わせて記念写真を撮りました。この通路も含め、全体の見学時間は30分間。人数が限られているので、ゆったりと見学できますが、のんびりとはしていられません。

時間が近づくと、胸に貼ったステッカーの色で呼ばれ、次のエレベーターに乗るように急かされます。そして、着いたのは86階の展望フロア。文字通りクアラルンプールを一望することができます。

眼下に広がる高層ビルと、緑生い茂るジャングルの名残、そしてどこまでも続く青い空と白い雲がクアラルンプールで最も高い場所にいることを実感させてくれます。

外からも中からも楽しませてくれるこのツインタワーは、マハティール元首相がマレーシアを世界で認められるグローバルプレイヤーにしたいという強い思いで始めたプロジェクトだったのです。設計はアルゼンチン出身の建築家「シーザー・ペリ（Cesar Pelli）」氏が担当し、施工は日本のハザマが「タワー1」を担当し、韓国のサムスン物産が「タワー2」を担当しました。

計画当初は、高さ427メートルの提案だったのですが、当時世界で最も高いと言われていたシカゴのウィリス・タワーとわずか15メートルの差だと知り、マハティール元首相が世界一を目指そうと、452メートルの設計に変更となったそうです。1998年から2004年までは、世界一高い高層ビルを誇り、ツインタワーとしては、今でも世界一の高さ（2020年12月現在）を記録しています。

6年間かけて様々なこだわりが形となったツインタワーは、マレーシアに対する期待と愛が詰まっている偉業の作品です。何度見てもハッとさせられるあの独特の輝きは、33,000枚のステンレス鋼と55,000枚のガラスによって作られています。そして、真上から見たデザインのベースとなるオクタゴン（八芒星形）の形は、イスラムの団結心、調和、安定、合理性を表しており、イスラムの文化、そしてマレーシアの個性が表現されています。

ペトロナスタワーは、間違いなくクアラルンプールのイメージを大きく変え、世界のステージにのし上げた存在。私自身、クアラルンプールに着いた日から「こんな素敵な高層ビルを見るのは初めて！」と思い、その夜景を初めて目にした時は、感動しかありませんでした。

当時は、まだ背景にあるストーリーは知りませんでしたが、高く、美しく、誇らしく立つ2棟の姿がすべてを物語っています。

CHINESE NEW YEAR

真っ赤で派手！街中で旧正月お祝い！

人口の3割以上が中国系のクアラルンプール、旧正月のデコレーションはとにかく派手！ 1週間前後は、夜になると各地で爆竹や花火が上がっており、デパートに行くと様々な旧正月祝いの品物が売られています。なかには、みかんやお年玉の封筒をくれるお店も。

初めて封筒をいただいた時、ギフト券が入っているのかと思いきや、封筒だけでちょっとハテナになりましたがw 5枚ぐらいいただいたので、恐らくショップの宣伝も兼ねて家族や子供たちに渡すためのポチ袋をくれるんですね。

でも、何よりも文化を感じさせてくれるのが、プリンが保育園で作ってくる作品です。旧正月祝いのカードや、帽子や太鼓。ちょっとしたプレゼントもあり、みかんとお年玉の封筒もリアルにいただきました！ その国の文化を一番リアルに体験しているのは、現地の子たち、先生たちと日々接しているプリンなんですよねw　たった3ヶ月なのにフレキシブルに受け入れてくれる素敵な保育園があることに感謝！

DAILY SNAPS

Contest winners!

2019年のちか友留学生活動画コンテストの
AirAsia賞受賞者のお二人がクアラルンプールに！
インドネシアに留学されていたお二人、
ブランチをしながら色々な
お話を聞かせてもらいました。

Firefly Watching!

おさるさんが両親を連れてホタルウォッチン
グへ！ プリンは風邪気味だったので、私と
お留守番。とても楽しかったみたいなので、
私も帰国する前に一度は行ってみたい！

Had to have this again!

また食べにきちゃいました。デサ・パークシティにあるレストラン
「The Barn」のMamak Special！
目玉焼きのせピリ辛UFO!
（実際はUFOじゃないですよ！）

Cute Boutique on The Row

家の近くにある"The Row"に可愛い雑貨屋さんが！
2階に上がるとPeter Hoeの甥っ子のJoshuaが経営されている
お店だと日本語で書かれていました。
調べてみると、Peter Hoeは日本人観光客にも
かなり人気だった雑貨ブランド。
元々ここに大型店舗があったらしいのですが、
2019年にリタイヤしてしまい、
今は甥っ子さんが2階で似たテイストのお店＆カフェをやっています。

Delicious Japanese Chinese

カット＆カラーでお世話になったSakiさんにおすすめして
もらった Suzuki Hanten。日本人のシェフが作る中華料理！
中国系コミュニティのおかげで美味しい中華は沢山ありますが、
日本人テイストの中華もやっぱり美味しい！
インテリアも可愛くて、雰囲気もよく、母とおさるさんの両親と
行ったのですが、みんな大満足でした！

RY
TAPESTRY
PULL

WEEK 10 Discovering KL's awesome cafes & boutiques!

クアラルンプールのおしゃれカフェ＆ブティック巡り

DAY	
63	**A nearby getaway!** プチ旅！ クアラルンプールを離れて高原リゾートへ
64	**First Lion Dance** ショッピングセンターでチャイニーズニューイヤーの縁起物「ライオンダンス」にちょっとびっくり！　屋内遊園地で乗り物を楽しむプリン
65	**Mother-daughter time in KL!** 母と二人でショッピングやカフェ巡り！
66	**Work day** 作業デー
67	**Work day** 作業デー
68	**2nd hair appoinment!** 2回めのヘアサロン！ 76STYLEのSakiさんに私も母もカット&カラーしてもらいました！
69	**Dolly Dim Sum with friends!** 日本とインドネシアからのお友達と飲茶ブランチ！

今週は、番外編として、KLの素敵なカフェやお買い物スポットをシェアします！
別の週に行ったカフェも含めて色々とご紹介させていただきます。

KUALA LUMPUR

cafes

A few of my favorites places to
shop for clothes, decor, and gifts!

Merchant's Lane

150, Jalan Petaling, City Centre
instagram: merchantslane

this is the entrance?!

ある旅ブログで見つけた中華街近辺のカフェ。
古い文房具屋さんの隣にあるミステリアスなターコイズ色の扉を開くと長い階段が。

上に辿り着くと、会話を楽しむ人々で賑わっています。思いつきと遊び心たっぷりな個性的なインテリアは、思わずたくさんの写真を撮りたくなってしまいます。

隣の女性たちは美味しそうなケーキとチョコレートミルクを頼んでいて、マレーシアの人々の甘党っぷりを改めて実感！

Such a cool cafe!

COFFEE

Anther & Stigma

H-1-10, Plaza Arkadia No 3, Jalan Intisari Perdana,
Desa ParkCity
instagram: antherstigma

デサ・パークシティのプラザ・アルカディアで見つけたフラワーカフェ♥

奥の棟の2階に隠れているので探しにくいですが、少し迷子になっても探してみる価値はあります！ 緑とビビッドな色のお花が各所に飾られていて、ナチュラルかつ華やかな空間。

スライスオリーブや玉ねぎ、ザクロが美しくトッピングされたロックスベーグルなどのオシャレメニュー以外にもオムライスなどのご飯もののメニューもあって、おさるさんのお口にも嬉しいお店！

滞在していたコンドミニアムから徒歩約3分でこんなに素敵なカフェにたどり着くとは！ 話題のお店なのか、週末は1時間待ちの人気店。たまにここで動画の編集をしていたのですが、平日の朝は、いつもすんなり入れました。

食べ物もとにかく美味しくて、食べるのがもったいないぐらい！ 季節ごとのデコレーションも素敵で、12月に飾られていたクリスマスツリーがとってもゴージャスでした。

TAPESTRY

28, Jalan Kamunting, Chow Kit
Instagram: tapestrymy

Coffee
H / C
DOUBLE ESPRESSO 8 / 9
ESPRESSO MACCHIATO 9 / 10
LONG BLACK 10 / 11
AMERICANO 10 / 11
PICCOLO LATTE 11 / 12
LATTE 13 / 14
H / C
FLAT WHITE 13 / 14
CAPPUCCINO 13 / 14
MOCHA 14 / 15
HAZELNUT LATTE 15 / 16
CARAMEL LATTE 15 / 16
NITRO COLD BREW 16
18
Non-Coffee
H /
ARTISANAL NATIVE CHOC 16 /
MATCHA LATTE 13 /
BABYCINO 7
TEA 8
MIGHTY GREEN
green apple, spinach, cucumber, celery
TROPICAL
passion fruit, pineapple, green apple
ORIENTAL
mango, beetroot, ginger, basil

HOT
100

DEW

7A, Jalan Telawi 2
https://www.dewbangsar.com/

ショッピングでよく行っていたバンサーにある小さなケーキショップ＆カフェ。ちゃんと見てないと見逃してしまいます。

とにかくここのケーキが美しすぎて、感動！
品数は決して多くはありませんが、上品で大人なデザインが本当に素敵すぎて、食べる前からメロメロになっちゃいます。

小さな店内ですが、少し高めのカウンターで、ちょっとバーにいるような感覚で、余計おしゃれ！

Just beautiful!

Week 7のDaily Snapsで紹介したバルーンアーティストとして活動されているちか友のMomoさん。生徒のDebbieさんがクアラルンプールでアイスクリーム屋さんをやっているとのことで、立ち寄ってみることに。

とっても可愛いお店で、アイスクリーム以外にラッピングペーパーやバルーンなどのパーティー雑貨も売っていました。だから、バルーンアートを勉強しているんだ！と納得☆

ソフトクリームもとても可愛くてテンションが上がるお店でした！

Thanks, Debbie!

Block Davidson, Unit D-G-11, Plaza Arkadia, No. 3
instagram: softsrve（現在は閉店）※ Seapark Petaling Jaya で再オープン

ICE CREAM
SOLVES
everything

THIRTY8

Grand Hyatt 12 Jalan Pinang

Grand Hyattの38階にあるレストラン「THIRTY8」のアフタヌーンティー。ペトロナス・ツインタワーの眺めがとにかく最高！ ペトロナス・ツインタワーの見学後に歩いて行ったのですが、中を見た後に外から眺めるのもなかなか楽しいです。

アフタヌーンティーは可愛いマカロンやタルトなど。スイーツは洋風ですが、春巻きや揚げ餃子などアジアンテイストの品もいくつかついてくるので良いバランス！ ただ、ボリュームはかなりあるので、お昼ご飯は、早め、軽めにして行くことをおすすめします！

Looks delish!

KUALA LUMPUR

boutiques

A few of my favorites places to
shop for clothes, decor, and gifts!

KITAKITA

1 Jalan Medan Seita 1,Bukit Damansara
instagram:KitaKitaMY

Damansara HeightsにあるRepublikという2階建てのコロニアルスタイルの建物をリノベーションしたF&B（food & beverage）施設。カフェやレストランがほとんどですが、2階に上がるとマレーシア産のものを取り揃えた素敵な雑貨屋さんがあります。

ちょっと高級なお土産を買いたい方におすすめ！ ちなみに、旅先で買うお土産は英語でsouvenirといいますが、アメリカでいうsouvenirは誰かにプレゼントするものではなく、自分の旅の思い出になるもののことをいいます！ ということで、私は自分に真っ白のペナンバッグを買っちゃいましたw

一緒にいた母はモノトーンのクラッチタイプのペナンバッグを買いました。

THE TOKYO TRADE FAIR EXHIBITION
1969
KEDAI PERMATA

TriBeCa Artisan

Bangsar Village II
instagram: tribecartisan

Bangsar Village IIにあるブティック。現地で着たくなるカラフルで派手な柄のワンピースがとにかくたくさん！ 3着ぐらい着て、現地で「脱白」ファッションを楽しみましたw

一見、ちょっと趣味と違うかな？と思うのですが、着てみると意外と可愛いものがたくさんあります。いつものファッションのテイストとは違うかもしれませんが、普段着ないものに色々と挑戦できるのも旅の楽しみ方の一つ！

同じ階のオープンスペースにある雑貨屋さんも同じ系列らしいのですが、もう商品の飾り方が素敵すぎて、ワクワクが止まりません。香水の香りのサンプル用に扇子を使っているのがおしゃれすぎました！

見るだけでも楽しいので、是非一度は行ってみてください！ Bangsar Village IIは、他のショッピングセンターに比べてかなり小さめですが、意外と素敵なショップが多くて、よく行ってました。

Trade

Bangsar Village II
www.tradekualalumpur.com

またまたBangsar Village IIにあるお店！ 高級感溢れるこの店内には、洋とアジアを融合したようなユニークなデザインのものが上品に飾られています！

マレーシアのブランドなのかな？と思ってタグを見ると「New York」と書いてあってちょっとずっこけましたw 値段もニューヨーク価格だったしw

こちらのお店は、色々なブランドを揃えているセレクトショップなのですが、チョイスされているものが絶妙で、まるでマレーシアで着るために作られたのでは？と思うようなものばかり！

Naiise.

Jalan Rotan, Kampung Attap
instagram: naiise

トレンディでクリエイティブなクアラルンプール土産が勢揃い！ 王道ではなくて、ちょっとこだわりのあるお土産を買いたい！という方におすすめ。

マレーシアあるあるの言葉あそびがイラストで描かれているTシャツや、個性的なイラストのポストカードやジュエリーなど、ついつい買いすぎちゃいそうなお店。

お店の奥にはサワードゥが有名なパン屋さん、隣にはモダンな手帳屋さん、色々と楽しめる一角です！

HOLIDAY IN TOKYO
in
EASTMANCOLOR
Starring
SAADIAH
AZIZ JAAFAR
S. KADARISMAN
ASAO MATSUMOTO
MOTOKO FURUKAWA
Music composed by
OSMAN AHMAD
YUSOFF B.
P. RAMLEE
3
3
1
3
KUALA
LUMPUR
Naiise.

WEEK 11

Local lunches and our KL Meet-up!

ローカルなランチスポットを開拓！そしていよいよミートアップ！

DAY 70

Mom's last day

明日帰ってしまう母を近所のお気に入りスポットへ

71

Visiting Toyota Malaysia

TOYOTAマレーシアの副会長・武山さんにインタビュー
お昼はバクテーの発祥地「クラン」に連れて行ってもらいました☆

72

Fish noodles for lunch!

まだまだ近所を開拓！ チャイニーズニューイヤーも楽しむ♪

73

Trying Rojak Mee

作業デー、ランチは近所のママック（インド系の食堂）で
ごちゃ混ぜヌードルのロジャックミーに挑戦

74

Meet-up!

1ヶ月前から企画していたミートアップがいよいよ形に

75

Day of rest

イベント翌日はお家でのんびり
（プリンがいるとなかなかのんびりできないけどね！）

76

Lion dance & durian night

迫力満点のライオンダンス&ドリアンチャレンジ完結！

THE HELI LOUNGE

KLの夜景を楽しむならここ！

今日は、おさるさんがプリンを見てくれて、母とちょっとしたガールズナイト。誕生日の時に行ったイタリアンの姉妹店に行ってみました。

より大人な雰囲気で、お料理も美味しくて大満足！特にステーキが美味しいです♥　母もクアラルンプールの食事のクオリティの高さにびっくりしていました。

食後は、クアラルンプールを一望できるヘリラウンジというバーに行ってみることに。実は、おさるさんが以前"さる友"さんたちに連れて行ってもらい、すごい景色だよと言ってたので私も一度は行ってみたいと思っていました。

そして、ちょうどメルボルンにも遊びにきてくれたお友達の水野さんがクアラルンプールにいたので、お誘いしました。ガールズ3人で夜景を見に行くぞ！

ヘリラウンジをGoogle Mapsに入れて、地図を辿るとコンドミニアムのような建物に到着。現地で待ち合わせしていた水野さんがいたので、ここで間違いないはず。でも、看板も何もなくて、3人で戸惑いました。とりあえず、エレベーターに乗って最上階に行ってみると、受付がありました。

1人100リンギットのミニマムチャージがあると説明されて、中に入りました。（ローカルの方に話したら、チャージ料なんてなかったよ！と言う方も汗）。中に入るとハロウィンチックで不思議な飾り付けもあったり、決しておしゃれだとは言えない空間。テーブルに案内されて、そこで飲み物を注文します。

ルーフトップへ上がるにはクレジットカードをホールドする必要があると言われて、大丈夫かな？と少し心配になりましたが、おさるさんも以前来てたし変なことがあったとは聞いていなかったので、カードを渡してドリンクを持ってルーフトップへ。

バーの雰囲気を見て正直あまり期待していなかったのですがw 暗い階段を上って行くと、最高の景色が待っていました。

私は、ペトロナス・ツインタワーがとにかく大好きで、世界中の高層の建物を見てきましたが、こんなに美しく輝くタワーは見たことがありません。細かなダイアモンドが埋め込まれているかのようにキラキラ光るこの姿は、もうずっと眺めていられます。

帰る際にクレジットカードを取りにいくと、一杯ずつしか飲んでいない私たちの伝票を見て、まだチャージ料に達してないから、ワインでも持っていったらとすすめてきました。買わせようとしているのか思って、「いや、もう飲まないので大丈夫です」と返したら、「もったいないよ。100リンギットまだ使ってないから。いいから、このシャンパン持って帰りな」とシャンパンのボトルを袋に入れてくれました。私たち的には、ループトップに上がる料金が100リンギットで、ワンドリンク頼めるぐらいの感覚だったのですが、お店は、100リンギットまで頼んでいいんだから、何か頼まないと！ という感覚でシャンパンをすすめてきてくれたのです。

オーダーしないほうがお店的にはいいはずなのに、わざわざシャンパンをくれるなんて、なんて親切！ 母も感動してました。

ミニマムチャージ金額に達してないからと、シャンパンをくれました！

EQ

TOYOTAマレーシアで副会長を務める武山さんにインタビューさせていただきました。武山さんは、TOYOTA社員生活35年のうち半分を海外で過ごされていて、フランスやインド、中東を経て、6年前から2度目になるマレーシアに駐在されています。

初期の頃から動画を見てくださっていて、私たちのことをよくご存じでした。そんな武山さんとご縁があって、経営者の視点で見るマレーシアをお聞かせいただきました。動画ではお伝えできなかったエピソードも交えて記したいと思います。

3つの人種が交わるマレーシアならではのマーケティング

マレー系、中国系、インド系が混在するマレーシアでは、車の販売戦略も異なってくると言います。広告も言語を変え、ビジュアルすらも変えて、それぞれの人種に合わせるとのこと。また、人気車種の好みも変わってくるので、一般的なターゲットカスタマーの部類は、男女、年齢、職業ぐらいで分けるものを、マレーシアの場合は加えて人種も考慮するため、通常の3倍もの分類が必要になってくるんだとか。

ただ、共通しているのは、みんなディスカウントが大好きということ。さらに、いわゆる「おまけ」のフリーギフトは付けて当たり前！なんだとか。経営者としては、ブランド価値の維持とのバランスの取り方が難しいと話されていました。

消費者だけでなく社員も多人種！

それぞれの宗教で習慣が異なるので、例えば……日中食事ができないイスラム教のラマダン期間は、昼休みを短くして早く帰宅ができるようにしたりするとのこと。また、それぞれの宗教で祭日が異なることから、マレーシアは祭日がかなり多く、それに合わせて生産体制を計画しなければならないようです。

そんな3人種が文字通り「ワン・マレーシア」になるのは……ドリアン！ トラックに満載したドリアンで士気を向上！

TOYOTAマレーシアでは、夏のドリアンの旬の時期にトラックに満載したドリアンで「ドリアン・パーティー」を開催するとのことです。マレー系も中国系もインド系も、社員みんなが大喜びで「ワン・マレーシア」になるイベントだとか。ちなみに……武山さんはドリアンが苦手とのことですw

経営者から見たマレーシア人の特性

マレーシアで飛び交う「Can Can」は、ファッション雑誌の名前ではありませんw マレーシアの方がよく使うフレーズです。Canは「できる」ですが、マングリッシュでは、2回繰り返します。マレー語でCanはBoleh（ボレ）というのですが、「Boleh Boleh（ボレボレ）」と繰り返して言うことが多いので、英語でも「Can Can」と繰り返して使うようになったみたいです。

ただ、2回言うからって確実にできるというわけではなくw むしろみんな気軽に使いすぎて、信ぴょう性に欠ける場合もあるようです。ビジネスの場では本当にできるのか？それともできないのか？をしっかり確認して判断しなければならないとのことです。

遅刻の原因? 理由? 言い訳?は……

マレーシアの人は時間に遅れることが多く、その理由は大抵「jam」（traffic jamのjam：渋滞）。確かに、マレーシアの道はよく渋滞するので、巻き込まれるといつもの倍以上もの時間がかかってしまうことがあります。私も、プリンの保育園からの帰り、いつもなら20分程度なのに1時間近くかかったこともありました。

もう一つよく使われる遅刻の理由は「rain」。局地的なスコールが降ることが多いので、言い訳にしやすいらしいです。しかも、クアラルンプールはエリアごとに激しく天候が変わるので、現地がお天気でも、私の家の側は雨だったわ、と言えば誰も何も言いません。

さらにマレーシアの方はよく「on the way/向かっている途中です」も使うのだとか。
YouTuberのJinnyも言ってましたが、「on the way」と言われたら、まだ家にいるぐらいだと思ったほうがいいみたいw

武山さん的には、同じエリアに住んでいるはずなのに……渋滞もなかったのに……スコールも降ってなかったのに……と思うこともあるとか。というか、それを見越して早く出発してよ～と日本人的感覚では思っちゃいますよね。

（文・おさるさん）TOYOTAマレーシアの社屋に入ると、レーシングカーが飾ってありました。これは、武山さんが力を入れている「TOYOTA GAZOO Racing FESTIVAL」というレースに使用されるマシンです。

このレースは、マレーシアの芸能人やインフルエンサーといったセレブリティがドライバーとなり、マレーシア各地でガチのレースを繰り広げるシリーズです。サーキットがない場所でも街中に特設コースを作り開催しちゃっています。地方の人にとっては芸能人などを生で見られるチャンスなので、毎戦数万人の観客が訪れる人気イベントになっているそうです。男女混合で行われ、シリーズの勝者はTOYOTAのCMなどに起用されるため、みんなかなり本気でバチバチのレースを繰り広げていて、見ているほうも楽しいと思います。

こういう大胆で楽しそうな取り組み、日本ではまず考えられないですよね。ちなみに、武山さんもドライバーとして参加されています。灼熱の太陽の下、耐火スーツとヘルメットに身を包み、極限状態でドライブすることは決して楽ではないはずです。でも武山さんは「口で言っても、自分がやらなきゃ周りがついてこないから」と、自らステアリングを握ってレースに参戦されています。

こういうことができちゃうマレーシア好きだな～そもそもマレーシアの車文化は……。

車好きのおさるさんは語ると止まらなくなっちゃうので、ここら辺で止めておきます…武山さんのインタビュー撮影を終えた後、美味しい肉骨茶（バクテー）のお店に連れて行っていただきました。

TOYOTAマレーシアから車で10分ほどのところにあるKlang（クラン）という街は、肉骨茶の発祥の地と言われています。バクテーはシンガポールも有名で、Week 4で行った一人旅でも堪能しましたが、マレーシアのバクテーは初めて！

シンガポールの透明に近い胡椒が効いたスープに対し、マレーシアの肉骨茶は少し異なり、醤油味でスープが茶色いのが特徴です。そして、初めて食べたのが「ドライ肉骨茶」です。スープがなく角煮のように味が凝縮されていてご飯が進む、進む！ そもそも角煮とかリブとか濃いソースに浸かっているお肉料理が大好きなので、たまりませんでした！

武山さんには、マレーシアのビジネス事情だけではなく、マレーシアの食文化や人々の考え方など、色々なことを教えてもらいました。動画で出てくるマレー系の社員の方の結婚式のお話も面白いので、よかったらそちらもご覧ください！

（写真上）初のマレーシアのバクテー。「ドライバクテー」（写真下）は角煮のような味でハマりました。

watch for more!

マレーシア
TOYOTA
副会長の武山さん！
Business Interview!

（#874）言葉、宗教、文化の違い、マレーシアならではのビジネスチャレンジや面白さ！ 現地TOYOTAの副会長に色々と聞いてみた！

MEET-UP IN KL!

いよいよ KL のちか友とミートアップ！

1ヶ月ほど前から計画していたMeet-upがいよいよ明日！ この日は、会場の下見と最終打ち合わせでJungle Gymに行きました。

会場に入るとイリヤさんとスタッフの方々がバルーンアートを一生懸命作ってくれていました。当日、写真撮影の背景となる、ジャングルをテーマにしたアーチ。黄色いバルーンを背景に大きな緑の葉っぱなど、とても可愛く仕上がりそう！ 上司が打ち合わせで提案していた紫のお花はありませんでしたw

デコレーションやマイクの確認を終え、私たちが帰る頃は、もう20時過ぎ。イリヤさんに声を掛けると、ちょっと疲れているようでしたが、「準備はバッチリ進んでいるよ。明日ね！」と笑顔で言ってくれました。

当日の朝会場に着くと、バルーンアートも完成されていて、想像以上にとても可愛く仕上がっていました！ 入り口に可愛いウェルカムボードも作ってくれていました。

午前と午後と2回のイベントを行ったのですが、午後の回にたくさんの留学生がいることにびっくり！ これまでは、駐在でクアラルンプールに住んでいる

方と繋がる機会がほとんどだったので、留学生のイメージがそこまでありませんでしたが、最近は、物価や学費の安さで人気の留学先にもなっているみたいです。オーストラリアの大学のマレーシア校もいくつかあり、マレーシアの物価でオーストラリアの大学に通うという選択肢も。

午後の回には、マレーシアの民族衣装を着て参加してくださったマレー系のご夫婦もいらっしゃいました。Q&Aの際に、手をあげてくださったのですが、日本語がペラペラ！ お二人は、マレーシア政府のプログラムで日本に留学し、その後、数年間日本の企業で働いていたそうです。今は、クアラルンプールで日本人向けの不動産事業を営んでいます。お二人とは、この後繋がり、とても仲良くしてもらいました。

Meet-upは、クアラルンプールに住む日本人の方々の生の声を聞ける貴重な体験でした。さらに、マレーシアの方にも参加いただけて、リアルな繋がりの楽しさを改めて実感。海外でここまで本格的なイベントを主催するのは初めてでしたが、形にできて本当によかったです！ 参加してくださった皆さん、ありがとうございました!!

A huge thanks to the awesome ladies that helped us out （Mei, Tomoko, Saho, Kaori, Aya, Mai, Madoka, Ayumi, Natsuki, & Mayuko） and to Iliya and everyone at the FoodTree for making this day possible!

AN ACROBATIC LION DANCE

飛び回る獅子舞！

旧正月といえば、ライオンダンス（獅子舞）が有名で、ショッピングモールなどでもよくパフォーマンスをしています。私たちはラッキーなことにお友達のコンドミニアムで開催された旧正月イベントで特別な「アクロバティック」ライオンダンスを見ることができました！

コンドミニアムのテラスエリアに真っ赤なテーブルクロスを敷いた円卓が10台ほどあり、様々な炒め物、麺類、焼飯や飲茶などの中国系マレーシア料理を楽しめるビュッフェが用意されていました。

焼き豚やクレープのようなスイーツを焼いている屋台まであり、コンドミニアム主催のイベントでここまでやるのが、びっくり！

みんなで楽しく食事をしていると、炎のような模様が描かれている派手な衣装を着ている若い男性たちが2メートルほどある鉄の踏み台を次々と並べ始めます。準備が整い、太鼓が鳴り始めると、真っ赤なライオンが登場し、高い踏み台に上がり踊り出します。

この旧正月にライオンダンスは何度か見たことがありましたが、台から台を飛び乗るパフォーマンスは初めて！ 飛ぶたびにドキドキ！

年明けに食事をしたkhoさん曰く、マレーシアにいる中国系の人たちのほうが実際中国に住んでいる中国人より伝統にこだわるらしいです。遠く離れているからこそ、より文化をしっかり伝えていかないと思うのかもしれません。そのおかげで私たちは、マレーシアにいながらも中国文化にもたっぷり触れることができました。

THAIPUSAM

インド系の一大イベント「タイプーサム」

毎年1月下旬〜2月上旬の満月の日に、ヒンドゥー教の奇祭「タイプーサム」が開催されます。

この祭で、行者は自らに苦行を課し自己を犠牲にすることで、人々の痛みや苦しみを負い、神様への忠誠と感謝を表すと言います。そのために、舌や口を串刺しにしたり、カバディ（Kavadi）と呼ばれる重い神輿なようなものを身体に刺さる針で支えたり、果物や重りなどがぶら下がったフックを直接かけたりしているのです。

その過激さから本国のインドでは禁止となっているほどのお祭りなのですが、マレーシアやシンガポールなどでは開催されるたび、世界中から100万人以上の信者や観光客が訪れます。

マレーシアではバトゥ洞窟内の寺院を目的地とし、市内のチャイナ・タウンにあるヒンドゥー教寺院から15kmほどの距離を苦行を行いながら歩きます。開催日の前日の夜、Grabで自宅に帰ろうとしたら、楽器で爆音を響かせながら大勢の人が通りを歩いている光景に出くわしました。最初は何かのパレードかデモかな？と思いましたが「タイプーサム」の始まりだったのです。

コンドミニアムから見えたタイプーサムの前夜祭

翌日、おさるさんが一人で「タイプーサム」の目的地であるバトゥ洞窟へ行ってきましたので、レポートしてもらいます。

（文・おさるさん）午後2時頃、バトゥ洞窟に到着しました。寺院の周りには露店が立ち並び、様々な物が売られていて、日本の縁日のような雰囲気です。そして、寺院の門をくぐると、前回訪れた時とは明らかに異なる熱気がそこに流れていました。大勢の信者の方々が、正装のようなきちんとした衣装に身を包み、洞窟にある寺院に向かっていきます。頭の上に銀の壺をのせて運ぶ女性や子供たちも見かけます。この壺には、ヒンドゥー教で豊かさと子宝を象徴するミルクが入っていてるそうです。

洞窟へと登る272段の階段の麓に行くと、人だかりができていていました。その中心には、身体の周りに大きな針のついた器具を取り付けた行者がいます。その針の先端は行者の身体へとめり込んでいます。

行者は、この日に向けて1ヶ月前から精神面での準備を整え身体が肉体的な欲求から解放され、痛みを感じなくなっているとのこと。しかし目の前にいる行者は時折苦しそうな表情を浮かべ、肉体的苦痛と精神的解放の間で葛藤しているように見えます。それを応援するべく、行者の周りには家族や支援者が10名ほどいて、楽器を激しく鳴らしたり拡声器を使い祈りを唱えて行者を奮い立たせています。

その音に合わせて行者は重い器具をつけたまま、ぐるぐると身体を振り回し激しく踊ります。爆音と人々の声、ひと目見ようと集まる観光客の喧騒とで、その一帯が異空間のような空気に包み込まれます。その中で行者はトランス状態となっていきます。

そして行者は最後の力を振り絞り階段を上っていきます。うまく言えないのですが、ヒンドゥー教徒ではない自分はこの先の狭く長く続く階段を上っていくべきではないと思いました。禁止されているわけではないのですが、神々の聖域に向けて自らの精神を追い込んで進む行者を見ると、僕はここにいるべきじゃないと思い、階段を上るのは止めました。

このようなレポートだと「奇祭」というだけあって、なんだか恐ろしいお祭りなんじゃないかと思われるかと思いますが、一般の参拝客の方もたくさんいらっしゃいます。子供を連れて参拝にくるファミリーも多く、雰囲気的には日本で言うところの初詣でのような感じでした。

ただ、時々普通の女性信者かと思いきや、頬を針が貫通していたりしてびっくりすることもありますが……（汗）。改めて、世界には様々な価値観があることを（強烈に！）目の当たりにすることができ、良い経験となりました。

今後このような宗教行事やお祭りが、時代や環境の変化の中でどう続いていくのか? 実際に見て体験した僕は、この先の「タイプーサム」がとても気になります。

（文・ちか）タイプーサムは過激だというイメージが強かったので、おさるさん一人でレポートしてもらうことにしましたが、実際は、子連れのファミリーもいて思った以上に平和なお祭りだったと聞いて、異文化の習慣を自ら体験せずに読んだ情報だけで単純に「怖い」や「過激」だと判断してはいけないと感じました。

A LOCAL'S GUIDE TO DURIAN

最後のドリアンチャレンジ

3ヶ月経っても素直に「好きだよ」とは言い切れないドリアンとの複雑な関係w 今度こそは！と思いMeet-upでお手伝いをしてくださったMeiさんのお友達のJackyさんとHanさんに美味しいドリアンを食べに連れて行ってもらいました。

ドリアンは、株のように毎日値段が変わるらしく、品種によっても値段は大きく異なります。最も高いのは、濃厚でリッチな「ムサンキング」。お尻の部分に星のような模様があるのですぐわかるようです。

そんなムサンキングの中にもいくつかのグレードがあり、最も高級なAAは、この日は1kgで45リンギット（約1126円）。私たちが買ったドリアンは1.6kgぐらいあったので、合計70リンギット（1752円）でした。

Week 1にスーパーで買った120リンギットのドリアンパックも同じムサンキングでしたが、買う場所を完全に間違えてましたねw

しかも、ここはもし味が気に入らなかったら、交換可能！Satisfaction guaranteed（満足を保証する）ポリシーなんだとか！

せっかくなので2種類のドリアンを試してみることに。ムサンキングは既に食べていましたが、スーパーでパックされているものと割りたてのフレッシュなものの違いを知るためにも、もう一度！ そしてもう一つはJackyさんとHanさんのおすすめでバターキングを。両方ともかなり濃厚そうでちょっと心配w

マッカン、マッカン！（食べる、食べる）は、そこでイートインすること。みんなで真っ赤なテーブルを囲んで早速2種類のフレッシュなドリアンをいただきます！

最初に食べたバターキングは今まで食べたドリアンとは全く違って苦味があり、甘さ控えめでした。フルーツで苦味というと美味しくないように感じるかもしれませんが、ドリアンに関しては苦味があるほうが食べやすい！甘くてどろっとしているもののほうがあの独特な臭みを感じる気がします。

これまでは一口食べて、複雑な味が気になりながらも、なかなか二口目を口に運べずにいましたが、自然と二口目を食べてしまうぐらい食べやすい品種でした。やはり最初からムサンキングを食べたのが間違いでしたねw

次は、ムサンキング！ 見るからに濃厚。バターキングに比べるとだいぶ濃い黄色です。口に入れた際にはこれまでと同じように「あ、無理だ！」と思ったのですが、頑張って食べていると突然濃厚なマンゴーを食べているかのように「美味しい！」と思う瞬間があるのです。この奇跡的な瞬間は、以前もほんの少しだけ体験したのですが、今回はだいぶ長く感じました。割りたてのフレッシュなドリアンはやっぱり違いました！

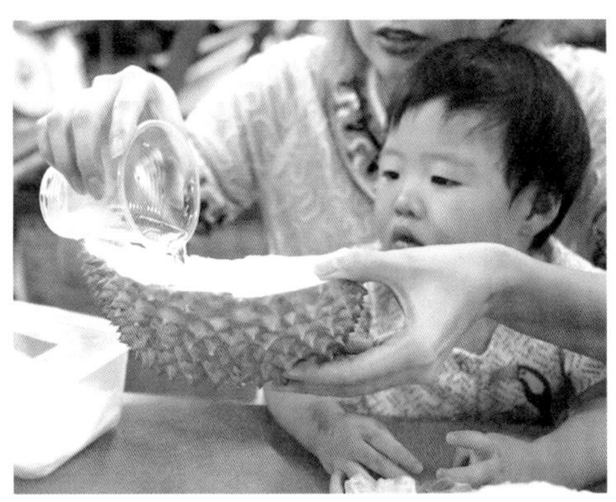

ドリアンは体温を上げる成分が含まれているので、食後はしっかりと水分補給することが大事。ドリアンを頼んだ際に冷えたお水をいただいたのですが、ローカル流はコップから飲むのではなくて、ドリアンの殻に入れて飲むんだとか！

殻から飲むことによってより体温を下げる効果があるとか…小さい頃から親にそう言われてたからそう信じているんだよ！ と二人とも笑いながら教えてくれました。

品種の豊富さ、味や食感の幅広さ、ドリアンは本当に奥深い！ 無理と思うか、美味しいと思うか、リアクションは人それぞれだと思いますが、ここまで表現豊かに味わえるものってなかなかないと思うんです。

どこに行っても楽しい会話のきっかけを作ってくれ、マレーシアTOYOTAの武山さんが教えてくれたように人種を繋ぐ力もある。なるべくして「フルーツの王様」と呼ばれているんだと思いました！

DAILY SNAPS

It's better spicy!

また行きたいね～と何度も言っていながら、なかなか
行けていなかったpan meeのお店「Kin Kin」でランチを！
Grabで行くには近すぎて、南国の太陽を浴びながら歩くのは
ちょっと遠くてw 辛いのは苦手ですが、
pan meeにチリペッパーを入れたらとっても
美味しく食べられました！

Rojak Mee

Week 10でご紹介したTapestryという
おしゃれカフェの隣には超ローカルな
ママック（インド系の食堂）が！
店員さんのおすすめでチキンライスと
Rojak Meeを頼んでみました！
Rojakはなんでもごちゃまぜにしてしまうこと。
思ったより具材は少なかったですが、
リンゴやきゅうりのスライスが隠れていて、
ちょっと不思議な一品！

Gong Xi Fa Cai!

ドリアンチャレンジの前にJackyさんと
Hanさんが近くの中華料理屋さんに
連れていってくれました！
旧正月のお祝いはまだまだ続いており、
Week 5の冬至で体験した
イーサンをまたいただきました！

Creative recycling!

レストランの外に置かれていた植物に
面白い形をした赤とピンクのボンボンが
飾られていたのですが、
よく見ると果物のネットキャップじゃん！
斬新すぎて爆笑！

Cooking at home!

外食ばかりしていないで、
自分でもfish soupを作ってみました！
まあまあ食べられましたw
そんな簡単に再現できないですよね！
またトライしよう～

WEEK 12 *Last minute sightseeing & family fun!*

帰国直前までアクティブ！ まだ行けていなかったスポットを焦って観光！

DAY		
77	**Work day**	びっくり仰天！ プレイエリア付き映画館に行きました！ その後は、Lake Gardensでシャボン玉遊び☆
78	**Last minute sightseeing in Chinatown**	帰国前のギリギリ観光！ やっと中華街に行ってみた
79	**Last minute meeting**	帰国間際に現地不動産屋さんとミーティング!?
80	**Packing up!!**	帰国の準備！
81	**We'll be back!**	一旦帰国！ でも、また来るよ！

FAMILY FRIENDLY CINEMA

家族で楽しめる映画館！

クアラルンプールでの最後の週末、現地で出会ったちか友の方から教えてもらって、ずっと行きたいと思っていたキッズフレンドリーな映画館に行くことに。

まず、ウェブサイトに書かれている映画館のルールに衝撃を受けました（次のページに記載してます）。

映画館の概念を覆す言葉だらけ。館内の写真を見ると、家族が寝転がって座れるファミリーベッド、そしてスクリーンの下にはなんとプレイグラウンドが！

オンラインで飲み物とポップコーン付きのファミリーベッドのチケットを買いました。14時から上映の映画、13:50に着いても誰もいません。完全に貸切状態。5分後に同じくママとパパと赤ちゃんの3人家族が入ってきました。あれ？ 日本語？ 日本人の方でした。やっぱり日本人は時間厳守（笑）。日本の映画館だと、上映時間前に予告が始まりますが、5分前でも始まる気配はなし。え？ もしかして映画もマレーシアの結婚式の招待状と同じで実際のスタート時間より1時間早く記載されているとか??（笑）

14時になるとちょっとずつ人が増えてきて、やっと予告が始まる。よかった〜1時間ぐらい待たないといけないのかと思った（笑）。4つあるファミリーベッドも徐々に埋まり、本編がいよいよスタート。暗くなるのかと思いきや、照明はそのまま。走り回る子どもたちのために少し明るくなっています。

普通は、みんな、携帯をサイレントモードにして、バッグなどにしまいますよね。でも、ここは少し明るくなっているので携帯の画面の明るさが全然気にならないのです。隣のママは携帯を取り出して、子供たちが映画に夢中になっているうちにメッセージに返信したりちょっとした用事を済ませていました。

30分ぐらいしたら、子供たちの集中力も切れ始めて、遊具ではしゃぐ子供たちの足音、楽しくキャッキャと言っている声が下から聞こえてきます。と思ったら、泣き声も（笑）。スクリーンの右下に様子を見に行くパパのシルエットが見えます。

子供がいると他の子供たちがはしゃいでいる場所ほど居心地のいいものはありません。本当にリラックスできる最高な映画館！

KECIL RULES

1.Children are allowed to ask questions
子供たちは質問をしてよし

2.Children can scream and shout with excitement
子どもたちは興奮からきゃーきゃー叫んだり大きな声を出してもよし

3.Children can make new friends
子どもたちは新しいお友達をつくってもよし

4.Children can play at the in hall playground anytime
子どもたちはいつでも館内の遊び場で遊んでよし

5.Children are allowed to walk around the hall while the movie is playing
子どもたちはいつでも映画館を歩き回ってよし

6.Crying Babies are welcome
泣いている赤ちゃん大歓迎

YOYO

LAKE GARDENS

クアラルンプールの巨大なセントラルパーク！

今日は、年始にランチをしたリンさんにすすめられたペルダナ植物園のレイク・ガーデンに行ってみることに。ここは、クアラルンプールのど真ん中に位置する227エーカー（約92ヘクタール）の巨大な公園。子供たちが楽しめるプレイグラウンドや蝶々や鳥を観察できるパークからマレーシア国立モスクやイスラム美術館まで敷地内にあり、正直何度も来ないと見切れない規模。

この日はプレイグラウンドで遊び、レイク・ガーデンをお散歩することに。プレイグラウンドにはたくさんのカラフルな遊具があるのですが、プリンが一番興味をもったのは周りの子たちが作っていた大きなシャボン玉。先がリボンのような形をした棒、面白いね〜と見ていたら、そのシャボン玉の棒がたくさん入っているバケツを持ったお兄さんがいました！ 尋ねてみると5リンギットでシャボン玉セットを貸し出しているとのこと。

もらったシャボン玉液は、とにかく粘りがすごくて、ヘビのような長いシャボン玉ができます。業務用洗剤をそのまんま使っているんじゃないかな？ そのインパクトもあり、どんどん子どもたちが寄ってくること！ とてもいいビジネスw

シャボン玉を吹くのがなかなか難しくて、液で遊び始めたプリン。手が荒れそうで心配だったので、シャボン玉セットをお兄さんに返してレイク・ガーデンのほうに移動しましたw

比較的涼しい日で、湖を見渡せる芝生でピクニックをしている方々やバルーンを飾ってお誕生日会をしているファミリーもいました。

そして、日が暮れるとどんどん人が増えてきて、ジョギングやサイクリング、仲間でバドミントンをしている人たちも少なくありませんでした。南国で暮らすと多少夜行性になっちゃいますよね。

レイク・ガーデンの中心には、Laman Perdanaというオープンドームの広場があります。イベントなどが開催されるエリアなのですが、何もない普段の日はスケートパークのように使われています。

地面に緩やかなスロープがいくつもあるデザインで、子どもたちがスクーターに乗って楽しんでいます。プリンのスクーターも持ってきてあげればよかった！ 結局、私とおさるさんがベビーカーを押してジェットコースターごっこをするハメにw

屋内のプレイグラウンドで遊ぶことが多かったので、こうやって外で色々な遊びを楽しめる場所があって嬉しい！ また涼しい日には遊びにこよう！

Gallery

バンサーの雑貨屋さんで買った水着でプリンとプールタイム!
暑くてなかなか外で遊べないクアラルンプール、
コンドミニアムには当たり前のようにプールがついてます!

CHARMING CHINATOWN

チャーミングな中華街！

母が遊びに来ている時に中華街のMerchant's Laneに行ったのですが、帰りのGrabから周りのお店を見ていたら可愛いスポットがたくさん！　帰国する前に一度は行かないと！　と思って、帰国数日前にやっと行ってみることに。

クアラルンプールの中華街といえば「Petaling Street Market」が有名ですが、こちらは高級ブランドの偽造品などが売られているブースが多く、個人的にはチャイナタウンの南部にある路地裏が楽しかったです。

Week 10の番外編でご紹介したアイスクリーム屋さんを経営されているDebbieさんがちょうど中華街の朝ご飯屋さん「Ho Kow Hainam Kopitiam」をすすめてくれていたので、そこに行ってみることに。平日にもかかわらず人でいっぱい！　10分程度でしたが、少し待たないと入れませんでした。

マレーシアあるあるだと思うのですが、どこの飲食店もとにかく店員さんが多いのです。お客さんより店員さんがいるんじゃない?! と思うような時もあるぐらいw

日本は一人の店員さんがテーブル案内、注文、配膳、お会計などのすべての接客業務をやることが多いと思いますが、マレーシアは店員さんが多いので役割が分担されていて、人気で激混みのお店でもお客さんを待たせることはあまりなく、逆に店員さんがいつもスタンバイ状態（左の写真を見ればわかると思いますw）。

こちらのお店は、海南地方から移民してきた方が1956年に創業したのですが、最初は道端でゆで卵やトーストなどを販売する売店から始まったとか。街の人々のハブとなっていたKopitiam*の昔ながらの賑やかな雰囲気に今風のテイストを加えることによって人気が維持されているのかと。おしゃれな新聞風メニューやスケッチのような水彩が並ぶレンガの壁など、思わず写真を撮りたくなります。

私はDebbieさんおすすめのナシレマ*を頼んでみました。お店によってソースのテイストや付け合わせが違って色々なバリエーションを楽しめます。ここのサンバルソースは、玉ねぎが多めでどろっとしたソース！ メニューにある写真の中で分厚いバタースライスがたっぷり乗っているカヤトーストがかなり気になりました。

プチマレーシア情報

Kopitiam

*コピティアムは、マレー語のコーヒー（kopi）、と中国の閩南語の「店」（tiam）を合わせて作られた言葉で、コーヒーやマレーシアの伝統的な朝ご飯を食べられるcoffee shopのことをいいます。

ヨーロッパからのコーヒー文化とマレーシアの中国系の朝食文化を融合して生まれたKopitiamは、マレーシアのペナンが発祥の地だと言われています。

1940年代にペナンから多くの中国系移民がシンガポールに渡った時にKopitiam文化も輸出され、シンガポールでも広がりました。

Nasi Lemak

*「ナシレマ」（写真上）はマレーシアの国民的な朝食。ココナッツミルクで炊いたご飯にアンチョビ、ピーナッツ、そしてゆで卵を添えたもので、おかずに鶏や魚の唐揚げがついていたり、バリエーションは豊富です。

横にたっぷり添えられている辛いサンバルソースも、マレー系、中国系、インド系のバリエーションがあります。

ナシレマは元々農民たちが移動中に腹ごしらえできる手軽な朝食でした。今でもバナナの葉に包まれて道端の屋台などでも売られています。

食後、お店から出てブラブラしていたら、古い建物の間に真っ赤な橋があり、若いカップルが仲良く座っているウォールアートが目に入りました。

ここはProject Kwai Chai Hong（Project Ghost Lane）という取り組みで、つい最近再開発されたエリア。ほぼ廃墟状態になっていた10軒のショップハウス（空き店舗）とその裏路地を立て直し、新たな店舗を開業し、5人のアーティストによるウォールアートでクアラルンプールの中華街の様々なストーリーを語る、まるで屋外ギャラリーのようなスポット。

朝食を食べたHo Kow Hainam Kopitiamは、実は元々この敷地にあったとか。再開発前の写真を見ると、本当にひどい状態でした。でも、すべてを取り壊さず、上手く利用しているところがとても素敵だと感じました。

マレーシアに移民してきた中国系の方々の当時の暮らしをこのように表現することにより、若者には当時の暮らしを知ってもらい、年配の方には、懐かしく思い返してもらう。「昔ってどんな感じだったの？」と子供から聞かれた時に「こうだったんだよ」と様々なアートを一緒に見ながら伝えられる場所を作りたいという思いで開発されたらしいです。

若者が自発的に「行ってみたい！」と思うような場所で、自然と歴史と文化にも触れられる。さらに、家族との会話のきっかけにもなる場所、これこそ現代の美術館だな！と感じました。

Kwai Chai Hong のウォールアートを撮影していたら、突然スコールが降り始めました。目の前にカフェがあったので、とりあえず入ってみることに。

メニューを見ると、トッピング豊富なアイスクリームやかき氷、「トーファ」というお豆腐のスイーツが色々とあります。かき氷を頼もうと思ったのですが、まだ準備ができていないとのこと。前のお客さんが白玉あんみつのようなデザートを頼んでいたので、同じものにしたら、それがトーファでした（結果、こっちで良かった）。

ドアにVISAのシールが貼られていたのでカードで払えると安心していたのですが、カードを渡すと、オープンしたばかりでまだカードマシンがないとのこと。現金がなかったのでどうしよう？と思っていたら、Grab Payのポップを見て、初めて使ってみることに。意外とスムーズで便利でした！ 万が一のために設定だけしておくといいかもです。

2階に上がるととってもおしゃれな店内。思わず写真を撮りたくなるライトアップ文字は、残念ながらまだライトアップされておらず、ケーブルも剥き出し状態でしたw

マレーシアのサービス業はよく、正式オープンの前に「ソフトオープン」でゆるく開業するらしいです。日本人の感覚だとソフトオープンというと、お客さんを限定的に入れてオペレーションの最終確認をしたり、プロモーションを兼ねてVIPを招いたりするのですが、ソフトオープンにもかかわらず普通に堂々と営業しているのがマレーシアらしさ！ 細かなことは気にせず、とにかくやってみる、嫌いな考え方ではないです。しかも、トーファがめっちゃ美味しかったので、すべて許せちゃいます！

WE'LL BE BACK! 一旦さよなら！ でも、また来るよ！

毎日たくさんの方とお会いして、色々なところを見に行き、様々な食べ物や体験、文化に触れていたら、あっという間に帰国する日が来てしまいました。

でも、まだイポーのもやしも食べてないし、ムラカのカラフルな街並みも見てない！ ピンクモスクにも行けてないし、ペナンにも行きたかった！ しかも、日本に戻ったらプリンの保育園どうする?! プチ移住をもう1ヶ月ぐらい延長する?! というような話を実は2週間ぐらい前にしていました。

おさるさんの弟の結婚式があり、帰国日はフィックスしているため少し迷いましたが、やっと「暮らし」という感覚もついてきて、プリンも保育園に慣れてきたので、もう少しクアラルンプールライフを体験したい！ 一時帰国を挟みつつプチ移住を1ヶ月ほど延長することに決めました。

プリンの保育園も延長を問題なく受け入れてくださり、滞在先も同じコンドミニアムで手配できました。

次回は、他のエリアに滞在してみるのもありかと思い色々と検討したのですが、コンドミニアムの人たちとも仲良くなったし、このneighborhoodの良さをやっとわかってきたところだったので、慣れ親しんだこの場所に戻ってくることにしました。しかも、予約サイトを通さず直接ブッキングできたので、半額近くの値段で取ることができてラッキー！（最初から直接予約したかった～！）

大きな荷物は現地で仲良くなったお友達が預かってくれることになり（本当にありがとうございました！）、戻ってくる準備も整い、一時帰国の日を迎えました。

以前母を空港に送る際にお世話になって仲良くなった運転手さんのMr. Zul（ズル）さんに空港送迎をお願いしました。

駐在の方は、会社がドライバーさんを手配してくれることが多いみたいなのですが、いきなり来られなくなったり、休みが多かったり、あまり安定していないという話を何回か聞いていました。でも、Mr. Zulはいつも早めに来てくれて、前日にリマインドも送ってくれるとてもマメな方です。マレーシアタイミングと言われるぐらい遅刻が当たり前な文化ですが、私たちが出会った方々はしっかりしている方が多く、ラッキーでした。

空港まで1時間ほど掛かるので、おしゃべりする時間はたっぷり。2週間後にまた戻ってくるんだと話したら、お仕事？と聞かれて、YouTubeの話を初めてしました。

「マレーシアの田舎には行った？ 都会と田舎は全然違うからね。村の暮らしもドキュメントしたら？」と言われて、半分冗談で「連れて行ってくれますか？」と聞いたら、「今度親戚の結婚式があるから、よかったら連れて行くよ」と誘ってくれました！「一応、新婦と新郎に確認したら連絡するね。そして、もちろん戻ってきた時は迎えに行くからフライト情報を連絡してね」と言って見送ってくれました。

どんな旅先でも素敵な出会いはたくさんありますが、一回ではなかなか深い関係は築けないですよね。一つの場所に長くいると、こういう繋がりが生まれるんだー、戻ってくることにして本当によかった！

See you again in a few weeks, Kuala Lumpur !

DAILY SNAPS

Guitar Cafe!

Lot 10 でおさるさんが発見したギターカフェ！
コーヒーを飲みながら飾られているギターを
自由に弾けちゃうんです～ 内装もカッコよくて、落ち着く
空間☆
楽器屋さんも併設しているので、家でも弾きたい方は帰
りにギターを買っちゃってもOK！（笑）

前から気になっていた家の前の屋外食堂に！
唐揚げを揚げる際にパフォーマンスをしてくれたり、
賑やかで楽しい雰囲気。パーティーハットのような
roti tissueは、甘くてパリパリしていてプリンも気に入りました！
最後は、Teh tarikで乾杯！
もっと早く来ればよかった～

Chocolate milk in a bag!

Khoさんからおすすめされていた
Milo Dinosaurを飲んでみました
（ミロの上にさらにミロパウダーを掛けたものw）！
冷たく甘～くて暑い日には最高！
屋台で持ち帰りしたら、気になっていた
袋詰めにしてもらえましたw
これ、手首に下げられるので、持ち帰りにすごく便利！

Getting some Malaysian gifts!

マレーシアのチョコレートブランド
「Beryl's」でお土産を！
Beryl'sの商品は、スーパーでも色々と
売っているのですが、チャイナタウンの路面店は
とても可愛くてカフェも入っています！
この本の編集者の大森さんが
チョコレート通なので、
こちらの3種類のマレーシアチョコを
お土産に買ってみました！
（ドリアンチョコのほうがよかったかな？笑）

Terima Kasih!

KL最後の夜は（結局最後ではないのですがw）、
現地で仲良くなったお友達とディナーを！
Terima Kasih はマレー語で「ありがとう」。
こんな素敵なデザートプレートを
用意してくれました☆
数週間後にまた会えることになってよかった！

WEEK 13

We're back for more!!

3ヶ月じゃ足りない！ 2回目のクアラルンプール！

DAY

82
Back in Kuala Lumpur!
クアラルンプールに戻り、運転手さんの案内でローカルな朝食を！

83
Getting settled again
再びIKEAで生活用品をGET。あの変わり種ハンバーガーのお店にも！

84
Grocery shopping!
食料品の買い出し。美味しいパン屋さんを見つけた！

85
Street food lunch
色々な食べ物が勢揃い！ ランチタイム限定の屋台ストリート！

86
Mesmerized by fireflies!
マレーシアのホタルに感動☆

WELCOME BACK BREAKFAST !

素敵なウェルカムバック！

2回目のクアラルンプール、1回目とはまた違うワクワクな気持ちで戻りました。仲良くなった運転手さんのMr.Zulは先約があり、お友達の運転手さんのMr.Sukriが代わりに来てくれました。

Mr. Sukriは日本人のお客さんが多い方で、知ってる日本語を色々と教えてくれたり、とてもフレンドリーな方でした。そして、なんとマレーシア料理の話をきっかけに朝ごはんに連れていってもらうことに！ 空港からの途中でどこなのかもよくわからないローカルなエリアの屋外食堂に入りました。

ナシダガンといったマレーシアの東海岸で人気のライスディッシュに挑戦！ ナシレマのようにココナッツミルクで炊いたご飯なのですが、玉ねぎも入っているので甘さに加えて香ばしさがあり、とっても美味しい！ トッピングはいくつかのチョイスがあるのですが、フィッシュカレーが定番らしいです。私が食べてみたカレーにはサバが入っていたのですが、臭みも全くなくて玉ねぎが入ったココナッツライスとの相性が抜群でした。食べ終わった後は、周辺をお散歩して他の屋台にあるお料理を説明してくれたり、戻った初日から素敵な思い出ができました。

PLATINUM

SAME PLACE , NEW VIEW 同じ場所、新しい景色！

同じコンドミニアムに戻ってきて、前回仲良くなったスタッフのラナがまた案内してくれました。知っている人だとやっぱり安心しますね。

部屋は前回と違う階と方角で、今回はペトロナス・ツインタワーが綺麗に見える最高のビュー。アングンは、ユニットごとにオーナーさんが異なるようで、インテリアも色々とあります。今回の部屋は、前回よりもおしゃれな感じ！（しかも、直接予約したから3分の1の値段！）

そして、やはりマンション内にプールがあるのは最高！ 早速、プリンとプール遊びの日々が再開しました。

プリンは、翌日から保育園に戻る予定で、今回はすぐに仕事のルーティンを始められる分、まだシェアできていないクアラルンプールの魅力を色々と撮りに行くのがとにかく楽しみ！

行き慣れた近くのAEONで食材を再び調達し（ありがたいことに調味料はすべてお友達が預かってくれてました mOm）、短いけれど2回目のクアラルンプールライフをスタート！

THE HOT LUNCH SPOT

賑やかすぎるランチスポット！

現地で仲良くなったお友達が住んでいるコンドミニアムのすぐ近くにランチマーケットがあることを知り、行ってみることに！

Jalan TengahというKLCCの中心地にある通りで行われるこのランチマーケットはとにかく賑やかで、近くで働く方々が集まる場所です。金曜日は食べ物だけではなく、洋服やジュエリーなどの雑貨もたくさん売られています。

そしてさすがダイバーシティの街、食べ物の種類がとにかく幅広い！ マレー系、インド系、中国系はもちろん、マカロニ＆チーズやミートボールなどのアメリカン料理から日本のたこ焼きまでありました！

暑いので、まずは飲み物を！ スイカジュースを頼んでみました。100%フルーツジュースだと思って頼んだのですが、カップのベースにたっぷりとシロップを入れてました。前の日に飲んだマンゴージュースが甘くて美味しくて、感動していたのですが、おそらくそれにもシロップがたっぷり入ってたかとw 甘い飲み物は暑さ対策なんですよね！

シロップ以外に驚いたのは、ドリンク用の手提げ袋！ こぼれる心配がなく他の買い物ができて、とても合理的！ ドリンクトレイより全然実用的！

ドリンク用の手提げ袋は本当に便利！

たくさんの女性が立ち止まっている屋台が気になって、近寄ってみると並んでいる女性が「買いたいの？」と声を掛けてくれました。「何を売ってるんですか？」と聞くと、「バナナよ。とても美味しいわ」と。

Pisang goreng（ピサン・ゴレン）は、マレーシアやインドネシア、フィリピンなどで人気のバナナを揚げたおやつです。この屋台の揚げバナナもどんどんなくなっていきます。揚げバナナ、美味しくないわけがないですよね！

この後、行列のできているフライドチキンの屋台でカリカリのチキンをおつまみに買い、メインは、インド系のナシ・ビリヤニというカレー料理にしました。ハヤシライスをピリ辛に仕上げたようなカレーで、パラパラとしたバスマティ米との相性が良い！

隣に座っていたマレー系の女性が途中で声を掛けてくれて、日本を訪れた時に食事がとてもハラルフレンドリーだったことを話してくれました。勝手にハラル料理なんてあまりないと思っていましたが、日

本も色々と変わってきてるんですね！ 外国の方の視点から知る日本はいつも新鮮！

「日本人はとてもフレンドリー。英語は話せないけど、みんな助けようとしてくれたよ」と教えてくれて、やっぱり日本人はあまり英語を話せないんだ……とちょっと厳しい現実を知ることもできました。

なかなかマレー系の方と交流する機会がないのですが、こうやってローカルな場に行ってみると、みんなとても気軽に話しかけてくれて、改めてマレー系の方々のフレンドリーさを実感できるランチでした！

UNEXPECTED KITCHEN TOUR! まさかのキッチンツアー！

2回目の滞在に必要なものを調達しにMyTOWNのIKEAに来たので、myBurgerLabでまたランチを食べることに！

前回レジを担当してくれた男性がいて、あの後インスタでも繋がったので、すぐに気づいてくれました。1回目と同じくフレンドリーな接客を受けながら、注文をしているとある男性が "Hi Chika!"と明るく挨拶をしてくれました。なんとmyBurgerLabの共同創立者の一人のRen Yiさんでした。

私がYouTubeにアップした動画を見て、インスタでDMを送ってくださったみたいですが、気づいておらず、ここで初めて繋がることができました。ランチを奢っていただき、食後はなんとキッチンを案内してくれると！ヘアネットを被ってお邪魔しました。

まず見せてくれたのは、myBurgerLab特有の目玉焼きの作り方。ハンバーガーに目玉焼きをのせることはよくありますが、基本的に食べる時に黄身が流れ落ちてしまう。それを防ぐために、swirlingというテクニックで白身を黄身と同じぐらいの高さになるように回し集めて、鳥の巣のような形にするのです。

このテクニックは実は社員の方が発案したそう。myBurgerLabでは、社員全員がsense of ownership（ただ雇われているのではなく、自分の会社だという意識）を持ってほしいと考えており、社員の意見や提案も積極的に取り入れているのです。

初めて来店した時、スタッフの方がみんなフレンドリーだったのが印象的でしたと伝えたら、Ren Yiさんはバーガービジネスの前にピープルビジネスなんだと、予想外の答えをくださいました。人を大切にすれば、自然と食べ物もサービスもよくなると信じていると話してくれました。

myBurgerLabの共同設立者の
Ren Yiさん。

スタッフのことはいつも誇りに思っているけど、アップされた私たちの動画をみて、「いいサービスしてるじゃん！」と客観的に実感することができて、とても嬉しかったと仰っていました。

キッチンスタッフの皆さんも本当に明るくて、生き生きとしていました。まずはピープルビジネス、どの事業も実はそうですよね。

そんなRen Yiさんは、大学でメカニカル（機械設計）・エンジニアになるための勉強をしたのですが、卒業後、より直接的に人を幸せにしたいと思い、パートナーのお二人とmyBurgerLabを立ち上げることにしました。

今は面白いハンバーガーをエンジニアしているんですね、と冗談を言ったら、笑いながら「でも、実はエンジニアの仕事がすごく生きてるんだよ。エンジニアは問題を解決する仕事なんだけど、ビジネスは問題だらけでしょ。どんな問題が起きても結構スピーディーに対応できていると思う」とシェアしてくれました。

やはり1回だけでは体験できないことや聞けないことがたくさん。まさかこんな展開になるとは全く思っていませんでしたが、フラッと立ち寄ってみて本当に良かった！

MONKEYS & FIREFLIES !

マレーシアの自然を満喫！

マレーシアでは、年間を通して、ホタルが観賞できます。このアクティビティは、たくさんの方が「是非行くべき！」とすすめてくれていました。

前述しましたが、おさるさんの両親がクアラルンプールに来た際にみんなで行く予定だったのに、プリンの体調があまり良くなかったため、おさるさんと両親だけが行ってきました。帰ってきたおさるさんが「すごい良かった！絶対に行くべき!!」と興奮していたので、この機会に行くことにしました。ホタルの観賞スポットは、クアラルンプールから車で約1時間半のところのクアラ・セランゴールという河口の町にあります。

旅行会社などのツアーには、南米のウユニ塩湖のような絶景スポット「スカイミラー」や「ブルーモスク」などとホタル観賞を合わせたツアーがあります。ツアー以外で行く場合は、公共交通機関がないので、レンタカーなどを自分で運転していくか、タ

クシーまたはGrabになります。タクシーやGrabの場合は、帰りもお願いしておかないと帰れなくなってしまうことも。

おさるさんが以前行った時は、Grabで片道をオファーしつつ、テキストメッセージで帰りもお願いしたい旨を書いて連れていってもらいました。行きは高速代含めて168リンギットで、帰りは観賞している間の待機代も含めて200リンギットにしたので、合計で368リンギットでした。

今回は仲良くなったタクシー運転手さんのMr. Zulに往復をお願いしました。可愛いお猿さんたちと触れ合えるモンキーキングダムという場所もあるけど、行く？と聞かれて、ホタル観賞の前に、そのBukit Melawatiというエリアに連れていってもらうことに。

受付を済ませ、トラクターが引くタラムに乗って丘の上に着くと、たくさんの猿たちがいました。餌を売っているおじさん曰く、ここにいる猿は性格が穏やかな種類ということです。

プリン、足を触られてびっくりしているけど、頭にも……（汗）

確かに餌をあげる時、奪い取るような感じではなく、「ちょうだい」と言っておねだりしてくるような感じです。人懐っこくて、人間の肩にひょいっと乗る猿もいます。

餌売りのおじさんは買ってもないのに、プリンに売り物の餌をちょっとくれたりします。観光地にありがちな押し売り感が全然ないのです。

マレー系の方全体に言えることかもしれませんが、ガツガツしておらずフレンドリーな接客をする印象です。そのフレンドリーさに、思わず買ってしまうことも多々……え、まんまと戦略に乗せられている？でも気持ちよく買わせてくれるのでOK！

猿と触れ合った後、日が傾き始めたのでホタルツアーへ向かいました。

ホタル観賞ツアーはいくつかの会社があるようです。おさるさんが行った時は、15人ぐらいが乗れるモーターボートで観賞するツアーだったようです。団体の場合、みんなで感動を共有できるので良さそうですが、今回は家族だけで楽しめればと、4人ほどが乗れる手漕ぎボートで観賞するツアーの会社にしてみました。

ツアーの出発地点に行ってわかったのですが、このツアーをマレーシアAEONがサポートしているようで、建物や設備が綺麗に整えられていました。

受付を済ませ、船着き場で日が沈むのを待ちます。入り口の前にちょっとしたおやつを売っている売店が。aiskrimと書いてあるクーラーボックスには、手作り感満載のアイススティック？がたくさん詰めてありました。マンゴー味を買ってみましたが、結構美味しかったです！ お陰でプリンも大人しく待ってくれました！（笑）

辺りが暗くなると、木製の小舟が船着き場にやって来て、みんなライフジャケットを着て、手漕ぎボートに順々に乗り込んでいきます。

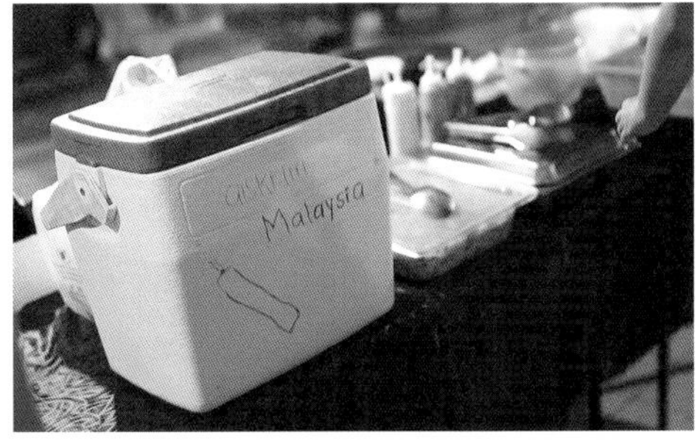

明るい船着き場を離れると、船頭さんが「君たちはラッキーな家族だよ。今夜は、月が小さいから月明かりがなくてホタルの光が良く見える」と教えてくれました。

でも、暗闇にプリンが怖がりだしました。そりゃそうですよね。真っ暗闇の中を小舟で行くわけですから。「これから綺麗なホタルが見えるんだよ！」と言っても、まだ理解はできません。私にギュッとしがみついちゃいました。しばらく進むと船頭さんが船をマングローブの木に寄せました。

そこには、チカチカと眩い光を放つホタルが無数にいます！ 日本のホタルは、淡い光でゆっくりと光るイメージですが、マレーシアのホタルは、はっきりとした光でチカチカと早い点滅を繰り返します。オスは1秒に3回光り、メスは1秒に1回光るらしいので、よく見るとオスとメスを区別できます。

そして、なんと言っても数が多い！ ここのホタルが「クリスマスツリー」と例えられる意味が良くわかりました。本当はLEDなんじゃないの？と思ってしまいそうになりますがw、船頭さんが木に手をやると手にホタルが乗りそれを私たちの手に乗せてくれました。小さなホタルが手のひらでチカチカと光っています。LEDではありませんでしたw

不思議なことに、ホタルが集まる木は決まっていて、いくつかの木に集中しています。小舟に揺られながら、星明かりとホタルが織りなすイルミネーションを楽しみました。本当に素敵な体験でした。ちなみにプリンが一番喜んだのは、ホタルの光ではなく、乗船場の光が見えた時でしたw いずれこの写真や動画を見て、思い出してくれたら嬉しいです。
ただ、このホタルの光を写真や映像に収めることはかなり大変です。おさるさんが頑張ってくれていました。

（文・おさるさん）この写真は、F値1.4で、ISOもMAXの40000に近いぐらい相当高めにして、露出時間1/10で撮りました。カメラはEOS Rで手ブレ補正が結構利きますが、船自体が揺れているのでどうしてもブレてしまいます。フラッシュは禁止ですが、そもそもフラッシュをつけて撮ったら、ホタルの光が見えなくなってしますし、iPhoneなどの暗闇モードで撮ってもホタルの光がキレイに写りません。
撮るのは諦めて、しっかり見て、脳内メモリに残すことをおすすめします。

移動時間も結構かかりますが、それでも生で見る価値は絶対にあると思います！ これまでたくさんの人にすすめられたように、私もクアラルンプールのおすすめアクティビティを聞かれたら、このホタル観賞をおすすめすると思います。というか、既にこうやっておすすめしています！

観賞を終えた後、クアラルンプールへは、また1時間半ほどの道のりなので、夕食をとることにしました。このクアラ・セランゴールは、海が近いことから中華系の海鮮レストランがいくつもあります。Mr. Zulも一緒に食べました。

中華料理はハラルじゃないこともあり、マレー系の方が食べられない場合もあるのですが、こちらのレストランはハラル対応だったので、一緒に食べることができました。新鮮な地元の蟹の炒めものや、カラマリ、海鮮焼きそばなど、どれも美味しかったです。なかでもおさるさんは、ここの魚介スープをかなり気に入っていました。マレーシアはどこの魚介スープも本当に美味しくて、ハズレは一度もありませんでした。

お腹も満たされ最高の気分で、ホタルのように眩い光を放つクアラルンプールへと戻りました。

DAILY SNAPS

Welcome back dinner!

戻ってきた日の夜は、
Grab Foodで「あんず」の
とんかつを頼みました！
日本で日本食はしっかり
食べたはずなのにw

Back to school

元気よく保育園に戻ったプリン！
いつも通り帰りはご褒美に
隣のコンビニでジュースを☆

A Japanese bakery!

モントキアラに日本のパン屋さんが！
日本で買うのと変わらない美味しさで感動！
日本のパンで日本の食文化を
広めようという思いで始まったBakery Cafe Hachi。
確かに日本のパンは美味しいですもんね！

Soup in a bag

屋台で買ったヌードル。
もちろんスープは袋詰め！
持ち帰るのにはかなり合理的ですよね！

Shampoo commerical

マレー系の女性をターゲットにした
シャンプーの広告！
日本茶の成分を使っているとか。
湿度が高く蒸れてしまう頭皮やぺったんこになってしまう
髪の毛など、ヒジャブを被る方ならではの
課題解決を追求していました。
何よりヒジャブを風に揺らせて髪の毛感を
出しているのが印象的でした！

LIAN
FATT
AGU 5208

WEEK 14 Malaysian real estate to Malaysian bean sprouts?!

マレーシアの不動産からもやしまで？！

DAY 87

Experiencing Malaysian Art

マレーシアの伝統工芸やアートにハマる！

88

Work day!

作業デー

89

Happy Girls Day!

マレーシアでもささやかながらひな祭りを

90

Checking out KL's real estate

不動産物件を内覧！？

91

Work day!

作業デー

92

Work day!

作業デー

93

Day trip to Ipoh

格別すぎ！ Ipohで名物もやしに感動！

MALAYSIAN ART

家族で体験できるマレーシアのアート

ホタル観賞の時にお世話になった運転手さんのMr.Zulが「今週末は、KLCCでクラフトのイベントがあるから行ったらいいよ」とすすめてくれました。

会場は、クアラルンプールのCraft Centre、マレーシアの自然をテーマにした伝統的なデザイン。普段からアートの展示や体験アクティビティはあるみたいですが、この日はイベントで展示ホールには手作り雑貨や手芸品を販売しているブースがたくさん！ペナン・バスケットから可愛い色合いとデザインの伝統的なランチボックス（tiffin carriers）など、旅の思い出に買って帰りたくなるようなものが色々とありました。

見て！この可愛いランチボックス!!

マレーシアの自然をテーマにした雑貨や手芸品。

中庭のようなエリアに入ると可愛い小屋があり、覗いてみるとなんとアート体験ができるスペース！ マレーシアの伝統的なバティック・ペインティングにチャレンジできるのです。

伝統的なバティックには動物のモチーフが使われることはないのですが、このアトリエでは、子供にも楽しんでもらえるようにユニコーンやお猿さんなどの動物のイラストもたくさん。大人用にはペトロナス・ツインタワーなど、マレーシアならではの景色などからもチョイスできます。

プリンと私は、ユニコーンとお猿さんの2種類を塗ってみました。最初はまだ早すぎるかな？と思っていましたが、子供って思っている以上に色々と理解している！ 筆と絵具を渡すと、私には絶対に思いつかないような色の組み合わせでどんどん塗っていくプリン。キャンバスを片手に持っている姿にはびっくりしました。塗り終わると、筆を濯ぐお水で遊ぼうとしたり結構大変なことになりましたが、とても楽しいアクティビティになりました。

バティック・ペインティング*は、蝋でアウトラインを描くのでどれだけ塗っても模様や絵は残ります。水彩が布でいい感じにブレンドされて、どんな色を混ぜても意外と綺麗に仕上がるので小さいお子さんと体験するアートとしても、ものすごくおすすめです！

逆に大人がやると、水を多くしすぎて思った以上に色が広がってしまったり、妙に色が馴染んでしまったりで、上手く塗るのが結構チャレンジングです。このようなアート作業が好きな私は、プリンが保育園に行ってる間に一人でじっくりやってみたいと思っちゃいましたw

バティック・ペインティングは私もハマりましたw

プチマレーシア情報

Batik Painting

バティック・ペインティング

*バティックは、模様部分を蝋で防染し布を染色する染色法を使った特産品で、マレーシアの伝統的なテキスタイル・アート。

インドネシアにも同じ手法のアートがあるのですが、マレーシアのバティックは模様がより大きく、よりシンプルだそう。色合いもインドネシアのバティックに比べて、明るくてビビッドなものが多いらしいです。

イスラム教では人間や動物を装飾のモチーフとして使うのは禁じられていることが多いため、バティックのモチーフは花や葉っぱ、図形などのパターンが一般的です。

バティック柄は、フォーマルな場で着られることもよくあるのですが、公務員の方は毎月1日と15日はバティックを着ることを国から推奨されているとか！

KL REAL ESTATE

クアラルンプールの不動産ツアー！

今日は、クアラルンプールで不動産会社を経営されているジャンナさんに様々な物件を紹介してもらうことに！ 実際いくらでどんな暮らしができるのか気になりますよね。いつかリアル移住の可能性もあるかもしれないし！

MEET JANNAH!

物件に入る前に、まずはジャンナさんのご紹介！ ジャンナさんは、私たちがクアラルンプールの動画を投稿しはじめてからバイリンガール英会話のことを知り、旦那さんのシャフィックさんとMeet-upに来てくださいました。お二人は2年間寮生活で日本語を猛特訓の末に習得し、日本の大学へ留学されています。

ジャンナさんは、日本の大学を卒業後、名古屋で3年間働き、マレーシアに戻り日系の不動産会社に就職しました。現在は独立して名古屋時代に知り合って結婚された旦那さんのシャフィックさんと一緒に会社を経営されています。

マレーシアには海外の大学へ留学をさせる奨学制度があります。専攻する学科によって留学先の国が決められているそうで、工学や科学を専攻するジャンナさんは日本への留学となりました。

しかし、日本語の知識はゼロ！ そのためにまずは「準備学校」という学校で2年間、寮生活を送りながら日本語を猛特訓したそうです。2年後に日本語で日本の大学入試を受け、もし不合格だった場合はそれまでの2年間はパーになってしまうということで、本当に必死で勉強をしたそうです。特に、漢字に馴染みのないマレー系のジャンナさんにとっては本当に大変だったそうで、冗談抜きで泣きながら漢字の練習をしたそうです。

その甲斐あって、ジャンナさんは見事合格し、名古屋の大学に入学されました。ちなみに、名古屋には「名古屋弁」があり、準備学校で習った言葉とは違う言葉が多々あり、日本に来てからの生活も戸惑うことは多かったということです。

（文・おさるさん）確かに、僕の母親は名古屋出身なのですが、親戚のおじさんたちの話す「おみゃーさんよー」（あなたは）、「いかんでかんわー」（ダメです）、「ちゃっとほかっといてちょーよ」（すぐに捨てておいてください）などの名古屋弁は、日本人でもわからないことがありますもんね。

そんなタフな環境で過ごしたジャンナさんは、流暢な日本語を話されます。マレー語に加え、英語も話せるのでマルチリンガルです！

REAL ESTATE TOUR

この日は、ジャンナさんに3つの物件を紹介していただきました。

①投資にも最適な人気のコンドミニアム
②日本人の駐在員などにオススメの物件
③クアラルンプール郊外、驚きの豪華物件

まず、投資向け物件としてご紹介いただいたのは、レジデンスがホテルと合体している物件です。パビリオンとツインタワーという、クアラルンプールのど真ん中、東京で言うところの六本木みたいなところに建つ高層コンドミニアムの30階。

ホテルのバーや広々としたプールサイドは、住民の方も使えます。さらに住民の方だけが使えるペトロナス・ツインタワーを目の前にしたプールも完備！

2LDK、家具付きで即入居可！ しかもツインタワーを眺めながら入れるプール付き！ ジム、ホテルのバーやラウンジも利用可で、賃貸の場合月額16万6000円、購入の場合は4600万円！東京の六本木でこの条件なら、4倍、5倍ぐらい？ いやそもそもプールが付いている物件なんてほぼないですよね。

なお、日本の人が買う場合でも、現地で住宅ローンを組むことも可能！ ビザは関係ないのです！（外国人の場合は、価格の50％程度のローンが組める。マレーシア人の場合は90％まで組める） ローン金利は4％ほどでちょいとお高めですが、マレーシアは銀行金利が2.9％前後とそもそも高めなので、バランスは取れているようです。

続いてご紹介いただいたのは、日本人が定住するのにおすすめの物件です。こちらはマレーシアの会社と日本の開発会社が合弁で建てた物件で、ジャパンクオリティを随所に見ることができます。なお、マレーシアでは、ジャパンクオリティや、インスパイアード ジャパンなど、「ジャパン」を売りにしている商品やサービスなどをよく見かけます。

80平米とコンパクトですが、天井が高さ3.3mもあるので、広く感じます。しかもウォシュレット付き！ そして、さらにこの深いバスタブ！ 座りやすくベンチになっているのは、日本でも見かけませんが、快適！

ちなみに、マレーシアのコンドミニアムの多くは、バスタブが付いておらず、バスタブ付きとなるとお値段が高い物件になります。販売価格は4800万円。しかもこれはディスカウント前の価格なので、ここからもう少し安くなるそうです。

同じ建物で、114平米と広いタイプのお部屋の価格は7000万円。ぐっと高くなりますが、賃貸の場合だと月額17万円。しかも、駐車場2台分も付いています！

さらにこのコンドミニアムは、共有施設も充実しており……プールや最新器具の揃ったジム、そしてバーベキューグリルも付いています。マレーシアらしく「ハラル」と「ノンハラル」に分かれています。また、ハーブガーデンもあります。マレーシア料理はハーブを使うものが多いので、住民の方はこのガーデンのハーブを料理に使うことができます。また、お子さんがいらっしゃる方に嬉しい、遊具や子供用プールのある、キッズエリアもありました。

こういった施設のあるコンドミニアムを、4000万円台から購入できるなんて、日本では考えられないです。

INTERESTING!

マレーシア不動産ポイント

*クアラルンプールの場合、基本的にプールとジムは付いている。
*ツインタワーが見える/見えないで、価格も変わってくる！
*4階が存在しない？ 中華系は「4」が日本と同じく縁起の悪い数字なので、4階や部屋番号に4がありません。
*バスタブ付きは高級物件
*食洗機も高級物件のみ
*ウォシュレット付きはなかなかお目にかかれない。
*「完成」の概念が日本人とは異なるので、完成した物件でも、共有部分など未完成な部分がちょいちょいある。
*契約時にかかる費用は結構安い。
・1ヶ月分のブッキングフィー（それが1ヶ月目の賃料になる）
・2.5ヶ月分の賃料をデポジット
・礼金なし・仲介手数料なし（不動産屋会社には、オーナー側から払われる）
・火災保険料なし（オーナーさんが既に入ってる）
*契約書は英語。マレー語がわからなくてもOK！
*賃貸の契約期間は、基本的に1年ごとの更新。

3件目は、クアラルンプールから車で30〜35分ちょっとのサイバージャヤというエリアに建つ物件へ移動しました。サイバージャヤは、ハイテク企業などが多く集まる新興都市で、「マレーシアのシリコンバレー」とも呼ばれています。今回紹介いただいたのは、サイバージャヤのなかでも豪邸が並ぶエリアに建つバンガローです。

日本でバンガローと言うと、キャンプ場にある小屋のようなものだったり、リゾートホテルのコテージのような建物をイメージしますが、マレーシアでは一軒家を「バンガロー」と呼びます。

ご紹介いただいたのは、巨大な一軒家。お値段なんと日本円で2億2000万円!! 広さはなんと900平米! 間取りは複雑すぎて言えないほど。

まるでリゾートのヴィラのような内装ですが、それもそのはず! こちらの物件は、オーナーさんがインドネシアのヴィラとして使用されていた建物や内装を、そのままマレーシアに持ってきたというもの。インドネシアのヴィラの時は、雑誌の表紙などにも使われたほど素敵な建物です。

とにかく広く、開放感に溢れています! 目の前に湖があります。

ため息と「Oh My Gosh!」の連続。バスルームもリゾートホテルにいる錯覚に陥ります。日常なのに非日常。

一番上の階には、裏にある湖を眺められるヨガルームがあります。ハシゴを上るので小さい子にはちょっと心配ですが、ここでストレッチをしながら朝を迎えられたらなんて素敵! 以前、L.A.で理想のモーニングルーティンという動画を撮りましたが、マレーシア版を作るならここで撮影したい!

内覧する前に、ジャンナさんは「見たら2億2000万円が安く感じますよw」と仰っていましたが、確かに、安く感じるほど（安くないけどw）こだわりがすごくて、他にはない物件です。

賃貸だと月額100万円。Airbnbでも借りられて1泊5万円。1泊ならなんとか…3家族ぐらい同時に泊まっても余裕のベット数と広さなので、みんなでシェアしたらかなりリーズナブルで素敵な宿!

DAY TRIP TO IPOH

格別すぎ！Ipohで名物もやしに感動！

クアラルンプールから電車でも車でも2時間半ほどで行ける、マレーシアで3番目に大きな都市・イポー。

そんなイポーは、その昔スズの産業により栄えました。イギリスの植民地統治時代があったことから西洋風の建物が多く残っています。ウォールアートなどのアートも様々なところに施されていて、いわゆる"映える"スポットとしても人気を集めています。

また、中国系民族が多いことから、グルメな街としても知られています。特にもやしは有名で、もやしを食べるためだけに、クアラルンプールから2時間以上かけて来る人もいるそうです。私たちもその一人でした。

イポーで最初に立ち寄った場所は、レトロとモダンな雰囲気が融合したちょっとしたショッピングアーケードでした。

小さなホテルの壁面が、おしゃれな雰囲気を醸し出していて、皆さんセルフィーやInstagram用と思われる写真を撮っていました。そして、念願のもやしへ！ もやしが美味しいと評判の食堂へ行ってみました。

「イポーのもやしは一度は食べるべき！」「本当に美味しい！」と色々な人に聞いていました。ハードルが上がりすぎて、逆にそこまでではないなんてことにならないか少し心配でした。ですが、その期待を軽く超えてくる味でした！

お皿に盛られたイポーのもやしは、日本でよく見かけるもやしより、太く短い印象。口の中に入れると、弾け飛ぶほどのシャキシャキ感！ 今まで味わったことのないほどの食感に感動！ 1皿食べ終える前に、2皿目を注文してしまいました。

味付けも醤油ベースのタレとごま油というシンプルさが、もやしの味を引き立てます。口いっぱいに入れて味わうとさらに美味しく、結局3皿食べてしまいました。

その美味しさの理由は、水にあると言います。イポーは周囲を石灰岩の岩山に囲まれたカルスト地形で、山に降った雨は石灰岩で濾過（ろか）され、ミネラルを豊富に含んだ水となります。その美味しい水で育ったもやしだからこそ、他にはない感動的な味になるんだとか。

この時食べたチキンも美味しかったのは、ここイポーのお水にその理由があるかもしれません。あ〜、今こうして書いていても思い出すほど、間違いなく、人生で一番美味しいもやしでした。お値段は1皿3リンギット、日本円で約75円。

食べ終えて席を立つと、お隣の席から英語で声を掛けられました。アジア系の方で「あなたのYouTube見てるわよ」と。聞くと、ニュージーランドの方で、マレーシアにお仕事の都合で来ることになり、YouTubeでKLの情報を探していたら私たちの動画を見つけ、プリンと同じように赤ちゃんがいることから動画を見てくださったとのこと。

このように思いがけず世界の方々と交流をすることができるのは、YouTubeをしていて嬉しい瞬間の一つです。そして、食後にまた嬉しい出会いが。

イギリス統治時代の名残で建物が西洋スタイル。

イポーのもう一つの名物であるプリンを食べに、すすめられたコピティアムに入ると、現地の方が動画を見てると声を掛けてくれました。その方はクアラルンプールに住んでいるけど、イポー出身で帰省中でした。このお店に来たのは正解だよ、と教えてくれました。

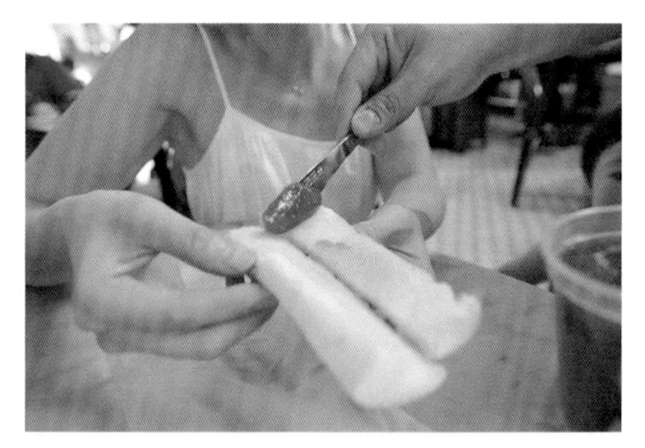

彼曰く、このお店はカヤトーストが有名でも、残念ながら完売していました。そして、さらにプリンも完売（涙）。その彼に「どっちも完売してた～」と伝えたら、「隣のお店でパンを買って来てあげるからカヤをつけて食べてみて」と優しすぎる提案をしてくれました。そしてわざわざパンを持ってきてくださり、カヤを塗ってくれたのです。なんて素敵なおもてなしの心！

マレーシアの人々のフレンドリーさ、そして他のお店の商品を気軽に持ち込んじゃうカジュアルさに感動w

カヤもこれまで色々と食べましたが、ここのはパンダンリーフの味が薄くて（現地の方は濃いほうがいいのかな？w）、個人的にはすごく好みでした。お家でも食べられるように小さなパックを買って帰ることに！

イポーをひと通り散策した後は、運転手さんのMr.Zulが、「Kek Lok Tong（極楽洞）」という洞窟寺院に連れて行ってくれました。

巨大な鍾乳洞は神秘的な光景を作り出していて、ここが寺院として信仰の場になったのもうなずけます。プリンも天井を見上げて興奮している様子！

洞窟を抜けると、目の前に広々とした綺麗なガーデンが現れます。洞窟からの開放感がとにかくすごいです。お散歩コースもあり、ゆったりと贅沢な時間を過ごせる空間です。

カルスト地形のイポー周辺には、このような洞窟寺院がいくつもあるということで、おしゃれなスポットやグルメだけでなく、こういった観光も楽しめます。

食べ物も、買い物も、観光も充実しているイポー。片道2時間半ほどなのでデイトリップとしてもいけますが、1日だけでは味わえないたくさんの魅力が詰まっています。帰国する前にもう一度来てみたいね、とおさるさんと話しながら帰りました。

DAILY SNAPS

海外でも日本の文化を忘れずに！
と思って小さな雛人形を日本から持ってきました。
イオンで見つけたハマグリらしきもので
ハマグリのお吸い物も作りました！

Noisy neighbor!!

下の階に新しく入ってきた方がすごい音量で
音楽を掛けていました。
しばらく様子を見ていたのですが、
一向に変わらず夜中はクラブを経営しているんじゃないか
というぐらいすごいビートが……。
さすがに我慢できずマネージメントに伝えたら、
セキュリティーと2人でわざわざ確認しに来てくれて
親身に対応してくださいました。

おさるさんがさる友の皆さんと居酒屋に！
お刺身〜まるで日本！
いいな〜私も食べたかった

子供セクションがものすごく充実している
Mid Valley Megamallの本屋さん！
本だけではなく、可愛い文房具や
スクールグッズが揃っています☆
プリンには、カラフルなタッパーや虹柄の
ペンシルケースを買いました！

Nyonya Lunch!

ジャンナさんとの不動産ツアーの
途中に可愛いニョンニャ料理の
お店でランチを！
Sarang Cookeryという
お店に行きました。
10種類以上のハーブなどを加えた
混ぜご飯がとっても美味しくて、
見た目も綺麗！

HSBC
Maybank

WEEK 15

Outdoor fun!

暑いけど外で遊びたい！

DAY 94

Sunway Lagoon & dinner with friends!

最高すぎるウォーターパーク☆ 夜は、お友達とディナー

95

Work day!

作業デー

96

Baju Kurung Shopping

マレーシアの伝統衣装を購入！

97

Work day!

作業デー

98

Picnic at the Botanical Gardens!

ボタニカルガーデンでピクニック！

99

Work day!

作業デー

100

A Historic stroll!

ムルデカ広場周辺を散策！

SUNWAY LAGOON

最高すぎるウォーターパーク!

今日は、プリンを連れてSunway Lagoonというテーマパークに行ってみることにしました。クアラルンプールの中心地から車で25分ぐらいの距離にあるSunwayというエリアは、大学やインターナショナルスクールなどが集まり、中国系のマレーシア人の方々が多く住む学園都市。充実しているのは教育施設だけではなく、今回訪れるテーマパークをはじめ、Sunway Pyramid という巨大ショッピングモール、そしてSunway Resort Hotel & Spaという大型リゾート施設もあります。

私たちは、Sunway Lagoonにあるウォーターパークに行きたくて訪れました。入り口では、ドナルドダックのようなキャラクターたちが迎えてくれたのですが、プリンは警戒心しかありませんでしたw 入るとまずは、乗り物などが並ぶ遊園地エリア。暑すぎて乗り物なんて正直乗れませんw　長いエスカレーターを降りて行くと、次は動物園！ もっとゆっくり見たいな〜と思いながら、「でも、まずはプール！」。動物園を抜けると、ギフトショップや売店が並んでいるアーケードを通ります。プールエリアまで結構遠いですw

でも、やっと辿り着くと、歩いてきた距離を忘れてしまうぐらい立派なウォーターパークです！ いくつものエリアがあり、小さな子供たちが楽しめる遊具やプールもたくさん！ 流れるプールがエリア全体を囲い、奥のラグーンでは滝が流れています。アースカラーのレンガでできたタワーや橋。まるで南国のジャングルに隠れていた小さなエジプト（小さくもないですがw）。でも、売店の方を振り向くとスタバが！ もう最高ですw

こんなにも乳児用のプールが充実しているウォーターパークは初めて！ 水が色々なところから噴き出すプレイグラウンドや、カラフルなボールがプール一面を覆い尽くしているボールプールや、ビーチのように少しずつ深くなっていく小さなお子さんでも安心して遊べるプール。お昼を食べに少しお散歩をしてみると、リアルな砂で遊べるサンディビーチまで！

レイジーリバーで乗れるゴムボートは別料金ですが、その価値あり！ 滝が流れたり、洞窟を通ったり、水が溜まると逆さまになって大量の水が落ちてくる巨大バケツスポットなど、派手なアトラクションにプリンも圧倒され、ずっと大人しく座ってくれました。そのお陰で私たちもちょっとだけリラックスできました（あ、でも、座ってるだけだとあまり進まないので一人はボートを引っ張ってないとです 汗）。次第に刺激がおさまり、気持ち良くなってしまったみたいで、気付いたらプリンは寝てましたw

これは毎週来たい！と思い、思い切って年間パスを買いましたw というのも、一回の入場料が大人一人202リンギットに対して、年間パスは444リンギット(約1万1600円）。しかも、年間パスを買えばその日の入場料が半額になる！的なプロモーションもしていたので、あと2回ぐらいは来るだろう！という想定で購入☆

子連れの暑い南国ライフには欠かせないウォーターパーク、素敵なスポットが見つかってよかった！ 年間パスポート、使いまくるぞ〜!!（と思ってたんですけどね…翌週からまさかのロックダウン…）

BAJU KURUNG SHOPPING! マレーシアの伝統衣装を買いに！

「マレーシアの田舎の暮らしも見てみるといいよ」と仲良くなった運転手さんの Mr.Zulが親戚の方の結婚式に誘ってくれました。

テーマカラーは、青で、おさるさんのシャツは Mr.Zul が用意してくださるとのこと。女性はバジュクロンというマレーシアの伝統衣装を着るということで、イメージの写真を送ってくれました。バジュクロンってどこでどうやって買うんだろう？ 仲良くなったマレー系のご夫婦のジャンナさんとシャフィックさんに聞いてみることに。そしたら、衣装のショッピングに連れて行きますよ、と仰ってくださいました！

当日は、買い物に行く前にエネルギーチャージということで、本格的なマレー料理「ナシ・チャンポー」のランチを紹介してくれました。色々と食べていたつもりでしたが、初めてのお料理ばかり！ジャンナさんとシャフィックさんにお任せして、お二人のおすすめを選んでもらいました。野菜にピーナッツソースを掛けたサラダ的なものから、パイナップルカレー、見た目がちょっと不思議な卵料理、ちょっと変わった匂いがするフィッシュスープ、とにかく初めてのものばかりでした！

ジャンナさんがちょっとニヤッとしながら変わった香りのスープを指して、「スープだけ試して欲しい」とボールを渡されました。飲んでみると、妙に馴染みのある味。たくあんだ！ たくあんを刻んでスープにした感じ！

でも、実はこれ、ドリアンが入ったスープだったのです。味では、わかりませんでしたが、確かに香りはドリアンでした。次は、味噌マヨネーズのようなペーストを見せてくれました。これは発酵したドリアンとチリを混ぜたものでご飯や野菜に付けるソースとしても使われるそうです。

ドリアンが入ったスープはこのペーストを溶かしたものだったのです。スープに入っている魚は、ナマズ。発酵したドリアンは、ナマズとの相性がいいらしいです！ それにしてもワイルドな魚の入れ方wボールから尻尾が大胆にはみ出てます！ これまで何度かドリアンに挑戦してきましたが、フルーツとして食べることばかりだったので、こうやって食事として食べられるのは新しい発見！ やっぱりドリアンは、強烈な存在ですね。

またまたドリアンの新しい一面と出会ってしまいましたw

食後は、マレー系の方が多く住む Shah Alamの Section 7というエリアでいよいよバジュクロンショッピング!

次から次とブティックが並ぶローカル感溢れるショッピング街。お店によって雰囲気は色々で、掘り出し物を探すようなバーゲンチックなお店からおしゃれで今風な店舗も。

バジュクロンは、ゆったりとしたトップスと丈の長いスカートを合わせたツーピースの服装です。とにかくカラフルで虹のように幅広い色の衣装が揃っています。伝統衣装というとコンサバティブなイメージが強いですが、よく考えてみるとバジュクロンはみんな日頃から着てるもので、今にも続いている伝統です。だからこそ時代に合わせて進化していく。ヒジャブの種類も様々で、スカーフに付けるラインストーンやピンの飾りもたくさんあります。

青というテーマカラーが決まっていたのですが、なかなかこれという青がなくて、ジャンナさんとシャフィックさんにはいくつものブティックに付き合っていただきました。

たくさんの選択肢があるかも、ということで入ったのがデパートのような建物。ここは、生地から選んでカスタムで作ってもらうこともできるらしく、カラフルな生地が棚の上にずらりと並んでいました。ジャンナさんはいつも自分で好きな生地を選んでカスタムオーダーしているらしいです。

カスタムしてみるのも経験としては楽しそうですよね！でも、結婚式まで時間もなかったので、でき上がっているものを探してみました。そしたら店内のマネキンが素敵な柄のバジュクロンを着ているじゃないですか！

異国の伝統衣装を着ている自分の姿ってどうしても見慣れなくて違和感があると思うのですが、これは意外としっくりきました！ 色合いも柄も好みだったので、即買い！ 同じお店で可愛いプッチ柄のような柄の子供用のバジュクロンもあったので、親子揃って衣装が決まりました。

ジャンナさんがしっかりと交渉をしてくれたので、かなりリーズナブルなお値段で購入することができました。その交渉の姿はとてもフレドリーでジャンナさんも店員さんも笑いながら会話をしていたのが印象的でした。

私の分の交渉が終わると、店員さんは他にも安くするからもっと見たら？とw ジャンナさんはすぐ買っちゃうから今日はやめておくと言いながら、店員さんは「買わなくていいから見るだけ」「sellするんじゃなくて、showするよ」と甘い言葉を並べて笑顔で営業トークw 日本にはなかなかない接客方法で見てて楽しかったですw
Mr. Zulがおさるさんに用意してくれたのは、バティック柄が刺繍されている、アロハシャツのようなカジュアルなものでした。色々と見ているうちに本格的な衣装も欲しくなってしまったおさるさん、一番本格的な衣装をゲットw

マレーシアの伝統衣装を着ているおさるさんの姿にシャフィックさんがすごく喜んでくれて、まるで大人になった息子を誇らしく見る父親のような目でおさるさんを見ていましたw ジャンナさんとシャフィックさんのお陰で本当に素敵な文化体験ができました☆

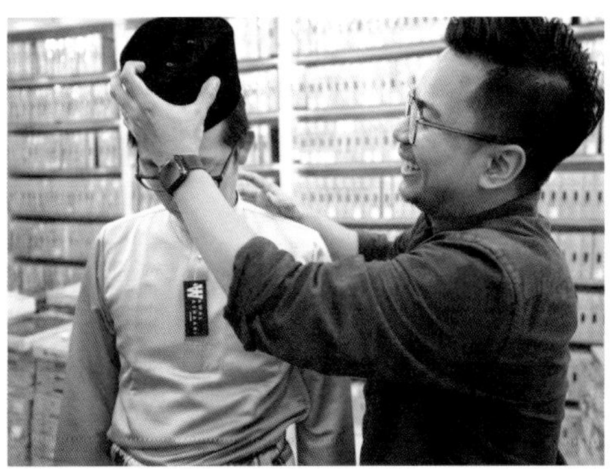

A HISTORIC STROLL

歴史を感じるお散歩ルート

Grabで通る度に「ここ綺麗だな〜、今度行ってみたい」と思っていたムルデカ広場周辺をやっと散策できました。

このエリアには、クアラルンプール（泥川の交わるところ、という意味）発祥の地とされている、2つの川が合流する地点があります。西側には芝生が映える広場「ムルデカ・スクエア」があり、マレーシアがイギリス領だった時代に建てられた歴史的な建物が集まっていて、とっても綺麗なエリアです。

ムルデカ広場の正面に広がる建物は、「スルタン・アブドゥル・サマド・ビル」。英国の植民地政府の庁舎として1897年に建てられたものです。イスラムの建築スタイルをベースに、西洋の要素も融合されており、モスクのドームのようなタワーの下にはイギリス風の時計台があり、とてもユニークな建築物です。

しばらく散歩しているとチャイナ・タウンに辿り着いたので、帰りはトーファを食べて帰りました。ムルデカ広場自体は、日陰がなくかなり暑いですが、マレーシアの歴史と文化を感じるお散歩ルートにおすすめです！

DAILY SNAPS

Iced sweet and sour pork!

氷に囲まれた酢豚！ 皮がさらにカリッとして
美味しいんです！ 以前ドリアンツアーで
お世話になったジャッキーさんと
ハンさんに美味しい中華に連れて行ってもらいました。
そして、中華系のお店では自分のお気に入りのお茶っ葉を
持ち込むことが普通だとか！

Pudding's artwork!

プリンが作ったリーフアートが保育園の壁に飾られてて
感動！ せっかくスクールの一員として慣れてきたのに……
プチ移住の悲しい現実 (涙)

Picnic at the Botanical Garden

保育園では外に出ないので、
せめて夕方はお外で遊んであげたいと思い、
ボタニカルガーデンで
ピクニックディナー！

Best mapo-eggplant ever!!

めちゃくちゃ美味しい麻婆茄子を発見！
バンサー・ビレッジ1にあるChatterbox。
旨味がすごくて感動しました！
（お店に入ったら店員さんは休憩中で、座りながら
「あそこ空いてるよ」と日本ではあり得ないテーブル案内w
海外だとこういう違いも面白くて
気にならないのが不思議！）

A sweaty shoot!

汗びっしょりになって撮影をするおさるさん。
青空と木の茂み、
写真を見てると涼しく見えるかもしれませんが、
とんでもない暑さです！w

FINAL WEEKS

Life in quarantine

マレーシアでステイホーム生活 ！

Week16から新型コロナウイルスの影響でMCO（活動制限令）が発動され、クアラルンプールで"stay home"生活が始まりました。

世界中の多くの人にとってそうだったように、このようなパンデミックは初めての経験でした。国によって対応が大きく異なるなか、私たちはマレーシアの対応を体感することになりました。

Week13～15でわかる通り、マレーシアに戻ってから数週間は何事もなく、みんながいつも通り活動していました。しかし、クアラルンプールのモスクで行われた大規模集会でクラスターが発生したため、2週間のMCOが発動されました。

スーパーや薬局、医療関連施設以外は基本的に閉鎖。飲食店はテイクアウトのみ。買い出しに行く際も一家族につき一人。州をまたぐ移動は禁止になりました。

最初のMCOは、開始2日前に首相が記者会見で発表しました。クラスターが発生したというニュースから、マスクを着用する人が増えたり、外出している人が減っていたり、少しずつコロナへの意識が高まっている印象はありましたが、まさかいきなり外出が制限されるとは。あまりの早さに、日本人の感覚とは異なるスピード感を実感しましたが、ルールがはっきりしていたので、とってもわかりやすかったです。

首相の記者会見が行われたのは、夜の10時過ぎだったのですが、その日の夕方ぐらいから、どうやらロックダウンが行われるらしいという噂が流れ、スーパーなどに買い出しに行く人が増えました。

おさるさんが夜スーパーへ行くと、やはり既にたくさんの人が買い出しに来ていたそうです。レジに1時間ぐらい並んでいた中で首相の会見が始まり、皆さんスマホでその中継を見ていたとのことですが、大きな混乱はなかったようです。

数日後、家の近くのスーパーに行ったら、早速ソーシャルディスタンスを注意喚起する看板や消毒・検温が導入されていました。複数人での買い物は禁じられており、レジの前には赤いテープで立ち位置が指定されていたり、対策がものすごく早くてびっくりしました。

MCO開始前日、プリンを保育園に連れていくと、明日からクローズするとのこと。その日は、プリンを預けてからMyTOWN Shopping Centerのクラフト屋さんに行って、プリンと家で遊べる絵の具やクラフトを色々と買いました。夕方保育園に迎えに行くと、今後の説明なども特になく校長先生に「See you in 2 weeks!」と言われ、カジュアルすぎる対応に思わず笑ってしまいましたw

コンドミニアムにはプールや屋上の遊具もあるし、どうにかなるか！と思っていたら、プールは残念ながら速攻でクローズになりました。屋上は、暑くて早朝か夕方しか行けず、スーパーに行く以外は基本的にずっと部屋にこもっていました。

レストランは、デリバリーとテイクアウトのみになりまし

た。GrabFoodは、早いタイミングで no-contact（非接触）デリバリーを推奨し、元々は手渡しだったのですが、上の写真のようにアプリのメモ欄に配達物を置いてほしい場所を指定するようになりました。

週末よく通っていたYut Keeがどうなっているか気になって、オーナーのマーヴィンさんに連絡をしてみました。テイクアウトはやっているとのことだったので、ランチを買いに行ってみると、いつも賑わっていたYut Keeの前にはTake Out Onlyの看板があり、中に入るとスタッフの方のみで閑散としていました。

従業員の方もたくさんいるなか、いきなり営業できなくなって相当大変だった思います。デリバリーサービスを利用するにもかなりの手数料が掛かるため、利用できず基本テイクアウトのみでの営業。そんななかでも、暗

い顔は一切せず、私たちにカヤロールケーキを一箱プレゼントしてくれました。

その後、今週末は休むことにしたよ、とまめに連絡をくれて、何かあったらいつでも言ってねと携帯番号も教えてくれたり。こんなにも大変な時期に私たちにそうやって手を差し伸べてくれて本当にありがたかったです。マーヴィンさんとは、インスタグラムで繋がり、帰国後もお互いの状況を色々とアップデートし合っています。

ロックダウン中にこのような体験が何度もあり、現地で知り合った方全員が連絡をくれました。不動産のツアーとバジュクロンの買い物でお世話になったジャンナさんとシャフィックさんは、GrabFoodでアイスクリームを送ってくれたり、みんな優しすぎて（涙）

最終的には、外務省から「渡航中止勧告」が出された事などから、日本に戻る予定を早めました。

仲良くなった皆さんと直接お別れできなかったのが本当に悲しかったです。日本食や使わなかった日用品などを仲の良いお友達に渡すこともできないなと思いきや、マレーシアにはUber Eatsのような荷物配達サービスがあって、アプリで取りに来てほしい場所と届け先を入力すると配達してくれるので、それを使ってお友達に置き土産をすることができました。

2週間の予定だったMCOは延長となり、保育園ももちろん復活しないまま。暑すぎない時間は屋上で遊んだり、お家では実験ごっこをしたりして、色々と工夫してどうにか家族で楽しく過ごしました。

ジャンナさんたちからのアイスのデリバリーが！（涙）

コンドミニアムの屋上が唯一の遊び場に！

以前プリンを見てもらっていたナニーさんと連絡を取っていたら、移動制限で仕事にも行けず大変な状況だと教えてくれました。ちょっとしたことしかできませんでしたが、配達サービスを使って食料品を送らせていただきました。本当に最後の最後まで、マレーシアの便利なサービスに助けられました。

帰る前日には、Mr. Zulにお誘いいただいていた結婚式に着ていくはずだったバジュクロンを着て家族で写真撮影をしました。式自体は、MCOが出る前だったのですが、少しずつ感染者が増えていた状況だったので、欠席することにしました。その後、Mr.Zulが色々と写真を送ってくれました。とても楽しそうで、本当に行けなくて残念でした。

Mr.Zulには、空港までの移動をお願いしたので、結婚式には行けませんでしが、最後にもう一度会うことができました。早朝のフライトで、基本的には移動禁止の時間帯。ただ、仕事や空港への移動は書類があれば許可してもらえるということをMr.Zulが教えてくれて、無事空港に行くことができました。警察の移動車両のチェックがかなり厳しくて途中で2回ほど止められましたが、Mr. Zulがすべて説明してくださり、本当に助かりました。

最後の最後まで、マレーシアの皆さんの温かさを感じながら、私たちは日本に帰国しました。

結婚式で着ていくはずだった衣装を着て記念写真撮影！

あとがき

とても充実していたクアラルンプールでの生活。まさかこのような形で終わるとは思ってもいませんでした。メルボルンの時のように最後は出会った皆さんと集まって直接感謝の気持ちを伝えたいと思っていたのですが、集まれないどころか全く会えない状態でとても悲しかったです。コロナが落ち着いたらまた絶対に遊びに来ると決めて、皆さんとはラインや電話でお別れをしました。

海外に住むということは、このような覚悟も必要だということを思い知らされる体験でした。

クアラルンプールに駐在している方々の中には、旦那さんの会社の指示で奥さんだけ帰国することになり、その後何ヶ月も旦那さんと離れることになった方もいました。また、お仕事や生活の状況によって、帰国できない方も沢山いました。

私たちは、いわゆる観光ビザ（短期滞在ビザ）での滞在だったので、「渡航中止勧告」を受けて帰国する決断をしましたが、永住や駐在、留学など様々な形態があり、海外に住む多くの皆さんがこの状況に難しい判断を迫られていたと思います。

コロナ禍で世界中が大変な状況になり、誰もがニューノーマルにアジャストしながら戸惑いや不安の多い日々を送っていると思います。

一方、これまでなかなか定着していなかったリモートワークが一気に当たり前に変わったり、大きなデジタルシフトが起きたり、都会を出て地方に移住する方も増えたり、新たなライフスタイルが生まれました。

私自身は、2013年に会社を辞めてからずっとリモートワークをしてきました。今回の大きなデジタルシフト以前からアプリ制作などは全てオンラインツールを使ってチームとコミュニケーションを取りながら形にしてきました。チームメンバーも海外で活動する人が多く、全員違う国で作業していることも珍しくはありませんでした。

だからこそ、2019年にプチ移住という自由な生き方・働き方を思いつき、なんの抵抗もなく「Let's go!!」と気軽に出発できました。「そのような人生に憧れます！」「私も世界を飛びまわりたいです！」というお声を沢山いただいてきましたが、コロナが生み出したこのニューノーマルの影響で、より多くの方がこのような生き方・働き方ができる社会に一気にシフトしています。

今後どう暮らして、どう働いて、お子さんがいらっしゃる方はどう子供をどう育てていくか、それを考えるとても大事な時期です。まさに Wake-upする時です。帰国の際には、色んなご意見があり、この本を出すタイミング、そもそも出すのかも正直迷いました。本編で紹介しているお店にはコロナの影響で閉店してしまったところもあります。

ですが、コロナの先を考えた時に、クアラルンプールでの生活は、今後新しい生き方・働き方を考えている方に参考になる体験だったと思っています。多民族国家ならではのダイバースな考え方、開発途中の国だからこそ体験できる成長やビジネスチャンス、日本に比べて若者の人口の割合が多いという社会構造の違い。メルボルンの時と同じように自分たちの将来を考える上でものすごく参考になりました。

実は、子供たちが生まれる前に夫とアメリカを横断したのですが、ニューオーリンズで出会った占い師さんによると、私は子供を3人産むそうです……（汗）　もしそれが実現したら、ワークライフバランスの観点で「マレーシアに移住して住み込み、ナニーを雇う！」とかなり本気で思っています（笑）

自分と自分の家族に合った生き方がどこにあるか。日本かもしれないし、日本じゃないかもしれない。今は日本だけど、将来は海外かもしれない。子育ては〇〇でしたいけど、子育てが終わったら〇〇に住みたい、住む場所は、必ずしも一箇所じゃなくていい。ライフステージによって拠点を変えることだってあり！個人的には、できるだけ固定概念をなくして自由に生きていきたいと思っています。

そういう意味では、これからの海外旅行は、大きく視点が変わり、単なる趣味や観光ではなく、自分の人生の選択肢を広げる、より貴重な経験になっていくと思っています。「楽しい」「おしゃれ」「ご飯が美味しい」ももちろん大事ですが、「暮らしやすそう」「働きやすそう」「子育てしやすそう」という意識を持つと人生の選択肢がより広がるのではないかと思います。

本書『WAKE UP! in クアラルンプール』ではクアラルンプールの魅力をお伝えするとともに、今後の生き方の選択肢を広げるような気づきとしての「目覚め」をお届けしたいと思いました。まだまだ大変な時期は続きそうですが、その先の生き方を考えるきっかけになったら嬉しいです。私たちもまだ探っている状態ですが、より多くの皆さんが自分に合った暮らし方・働き方を見つけられますように。

2021年10月

Chika

おさるさん あとがき

クアラルンプールでの生活を今思い返してみると、浮かんでくるワードは”結びつき”です。

日本企業が多く進出し、日本との”結びつき”が想像以上に強いクアラルンプール。日本人向けの食品やレストランが多くあり、今まで訪れた海外の都市の中で、最も日本に近い暮らしができる都市でした。

また、マレーシアの方は本当に優しくフレンドリーで、人と人との“結びつき”を大切にしてくれる人が多く、いつもその優しさに温かい気持ちにさせられました。
今でも「プリンは元気～?」などとメッセージを送ってくれる方が何人もいます。

そして、このプチ移住生活では、家族の“結びつき”を強く感じました。
パンデミックによって世界中の人々が困難な状況に陥りましたが、僕たちもその中で苦しい状況下に置かれました。
帰国を発表してからその後の数カ月間、ちかと毎日お互いの心境や考えをシェアし合いながら過ごしました。
気持ちと考えを共有し、一緒に歩めるちかと、癒やしと活力をくれるプリンがいてくれたおかげで、今日もこうして家族で過ごせています。

そんなプリンはまだ2歳ですが、マレーシアという異国の地で、人種が違えど、言葉が通じなかったとしても、物怖じせず笑顔で明るく接することで、自然と皆と仲良くなっています。
笑顔と愛嬌こそ、人と人とを“結びつける”大切な要素だと幼い子供に教えられました。

世界の人々が、再び笑顔で握手やハグをし、心と心が“結びつく”ことのできる日が、一日も早く来ることを願っています。
そして、また海外へ渡航できるようになった暁には、クアラルンプールへ行き、今回直接伝えられなかった「Terima kasih」を笑顔で言いたいです。

Osaru

Map of Kuala Lumpur

クアラルンプールMAP

デサ・パークシティ
DESA PARK CITY

湖を中心にした公園の周辺にショッピングモールや低層コンドミニアムなどが立ち並び、マレーシアで開発が成功したエリアの一つと言われています。ペットフレンドリーで湖の畔ではワンちゃんを散歩している人をよく見か け、インターナショナルスクールもあり、次移住するならここ に住みたい！

モント・キアラ
MONT KIARA

日本人をはじめ外国人の駐在員の方などが多く住んでおり、日本食の品揃えが豊富なスーパーや日本語が使える病院なども揃っているエリア。プリンの保育園がここにあったので、ほぼ毎日通っていたが、私たちが住んでいた CHOW KIT からは車で空いていると 20 分、混んでいると倍以上かかることも …。

ブキッ・ダマンサラ
BUKIT DAMANSARA

バンサー
BANGSAR

外国人が多く住む高級住宅地「バンサー」。オシャレなバーやカフェ、ブティックも多く、お洋服の買い物の際は必ず来てました。バンサー・ショッピング・センターには、プリンが大好きな室内プレイグランド「 Jungle Gym」があり、バンサービレッジという商業施設には「世界で一番静かなスターバックス」がありました。

ミッドバレー・メガモール

主に私たちが行動していたエリアを紹介！

私たちが住んでいたエリア。AEONやホテル、大学などもありつつ、ローカルな食堂や市場もあり、都会と下町が融合する面白いネーバーフッド。

ツインタワーがありクアラルンプールを象徴するエリア。高級ホテルや高層コンドミニアム、ファッションブランドなどもすべて揃っているいわゆるシティーセンター。中心部にあるKLCC公園は都会のオアシス的存在。大晦日の花火はここから打ち上がりました！Suria KLCCというモールには、伊勢丹や紀伊國屋書店も！

マレーシアーの繁華街。「パビリオン」をはじめ大型高級モールがあり東京の六本木のような場所。クアラルンプールに来たばかりの時、その華やかさに驚きました。クアラルンプール最大の屋台街「アロー通り」やウォールアートなども楽しめるおしゃれなチャイナタウンもあり、朝から夜まで賑やか！観光で来たら訪れるべきエリアの一つ。

Special Thanks

Meiko and Ryoichi
Yoshitaka
Takeyama-san from UMW Toyota Malaysia
Shimizu-san
Seijyo-san
Kho-san
Go-san & family
Jannah & Syafiq
Ryoko & Saki from 76STYLE
Lyn-san & family
Jacky & Han
Mervyn & the wonderful staff from Yut Kee
Iliya from The Food Tree
Momo-san & family
Debbie from SoftSrve
Mr. Zul and Mr. Sukri
Jinny Boy
Joy & family
Sarutomos - Yoshihisa, Yu, & Shino
Antie Mei, Auntie Yoges, Auntie Nina from The children's house
Waka, Ukai-san, Osaru-san's parents, Kensuke & Saori, and my mom for visiting us!
Tomoko, Saho, Kaori, Aya, Mai, Madoka, Ayumi, Natsuki, Mayuko for helping out at the meet-up!

Embassy of Japan in Malaysia
JACTIM
Pinterest Japan
KLOOK Japan
Google

吉田ちか ／Chika Yoshida

YouTubeCreator。小学校1年生時に父親の仕事の関係でアメリカ・シアトルに渡米。以後、16年間をアメリカで過ごす。ワシントン大学・ビジネススクール卒業後、日本に帰国。大手コンサルティング会社に就職。2011年よりYouTubeにて英語学習コンテンツ『バイリンガール英会話』を開始。その再生回数は4億2,500万回にも及ぶ(2021年11月現在)。2015年に同じくクリエイティブ系の仕事をしている夫と結婚。現在は2人でコンテンツ作りに取り組む。2018年、第一子となる女児を出産。2021年には第二子となる男児も出産。『バイリンガール英会話』は、現在970本を超えるバラエティ豊富なコンテンツが配信され、17年にチャンネル登録者が100万人を超える。主な著書に『人生で一度はやってみたいアメリカ横断の旅』『HELP me TRAVEL』（共に実業之日本社）『WAKE UP! In メルボルン』（世界文化社）などがある。

●YouTubeチャンネル
バイリンガール英会話 | Bilingirl Chika

装幀・本文デザイン：小林博明＋川又紀子
（Kプラスアートワークス有限会社）
DTP製作：株式会社明昌堂
地図製作：株式会社アットミクスト
校正：株式会社円水社
編集：大森春樹（株式会社世界文化ブックス）

WAKE UP! in クアラルンプール

発行日　2022年1月15日　初版第1刷発行

著　者：吉田 ちか
発行者：竹間 勉
発　行：株式会社世界文化ブックス
発行・発売：株式会社世界文化社
〒102-8195 東京都千代田区九段北4-2-29
電話03(3262)5118（編集部）
電話03(3262)5115（販売部）
印　刷：大日本印刷株式会社
製　本：株式会社大観社

ISBN978-4-418-20502-8